Delphine de Vigan

No et moi (2007)

Extraits

LE DOSSIER
**Un récit d'adolescence
sur une question de société**

L'ENQUÊTE
Regards sur les exclus

Notes et dossier
Aubert Drolent

Collection dirigée par
Bertrand Louët

Sommaire

OUVERTURE

Photo du film No et moi
de Zabou Breitman, 2009.

© Éditions Jean-Claude Lattès, 2007.

© Hatier, Paris, 2013
ISBN : 978-2-218-96662-0

No et moi 12

* Tous les mots suivis d'un * sont expliqués dans le lexique p. 184.

Qui sont les personnages ?

Les personnages principaux

LOU BERTIGNAC
Adolescente surdouée (à treize ans elle est déjà en seconde). Plus petite que les autres, confrontée à une tragédie familiale, première de sa classe, elle se sent décalée et seule.

Les personnages secondaires

LES PARENTS DE LOU : Anouk, la mère, est en grave dépression et ne dit plus un mot depuis la mort de son deuxième enfant, Thaïs. Quant à son père, il tente de faire face et de maintenir un semblant de vie familiale.

MONSIEUR MARIN : Professeur de Sciences économique et sociale, sévère et exigeant, il est

NO (NOLWENN)

Abandonnée par sa mère, après la mort de ses grands-parents qui l'avaient recueillie, elle mène une existence chaotique avant de se retrouver à la rue où elle fait la rencontre de Lou.

LUCAS

C'est le contestataire de la classe de Lou. Plus grand et plus âgé que les autres, il tient tête aux professeurs et fait l'admiration de toutes les jeunes filles du lycée. Mais son insolence cache une grande solitude et une situation d'abandon familial.

à la fois craint et admiré par les élèves. Il a une affection particulière pour Lou dont il apprécie l'intelligence.

GENEVIÈVE : Caissière à Auchan, elle est la seule amie de No. Lou fera appel à elle pour retrouver la jeune fille.

LES FILLES DU LYCÉE : Axelle Vernoux et Léa Germain sont les bêtes noires de Lou.

Quelle est l'histoire ?

Les circonstances

À partir de 1983, dans un contexte économique qui se dégrade, le passage à une politique de rigueur du gouvernement socialiste provoque une aggravation de la pauvreté en France. Les « sans domicile fixe » (SDF) se multiplient : parmi eux, des jeunes majeurs qui ne bénéficient plus des aides réservées aux mineurs et pas encore de celles réservées aux jeunes adultes.

L'action

1. Lou doit choisir un sujet d'exposé pour le cours de M. Marin. Bien que brillante, elle est terrorisée à l'idée de prendre la parole en public. Finalement, elle opte pour les SDF. Cela lui vaut l'admiration de Lucas, trublion et coqueluche de la classe.

2. De tempérament solitaire, Lou a l'habitude d'aller regarder les trains partir à la gare d'Austerlitz. No, une jeune SDF, l'aborde en lui demandant une cigarette. Elle l'emmène au café et lui demande de l'aider pour son exposé...

Homme SDF allongé dans le métro.

Le but

En se rendant à son travail, l'auteur est indignée de voir de plus en plus de jeunes femmes à la rue, sous le regard indifférent des passants. Elle témoigne de cette situation en racontant l'histoire d'une d'entre elles. À travers le regard de Lou, elle pose sur cette question de société le regard libre de l'adolescence.

3. L'exposé est une réussite. Cependant, les deux jeunes filles sont devenues amies et Lou décide d'accueillir No chez elle. C'est l'occasion d'un nouveau départ pour la jeune fille qui trouve un travail. Mais, reprise par ses démons, elle plonge dans l'alcool et le père de Lou la met à la porte...

4. Lou demande alors son aide à Lucas. Le jeune homme vit seul dans un grand appartement où il accueille No. Mais, après une courte période heureuse, et le retour de la mère de Lucas, les difficultés réapparaissent...

Qui est l'auteur ?

Delphine de Vigan (née en 1966)

• UNE ENFANCE PARISIENNE ET NORMANDE

Delphine de Vigan est née en 1966 à Boulogne-Billancourt.
Elle passe son enfance en banlieue parisienne. Contrairement
aux autres enfants, elle n'a pas la télévision mais, comme
les autres, lit *Lucky Luke*, *Gaston Lagaffe* et *Astérix*. Elle est
ensuite lycéenne en Normandie, lit les classiques et se met très tôt à écrire.

• DES ÉTUDES À LA VIE PROFESSIONNELLE

En 1983, elle démarre des études littéraires tout en exerçant divers métiers :
démonstratrice de fromages et de steaks hachés en hypermarché, scripte
dans des réunions de groupe et hôtesse d'accueil. Après la guérison de son
anorexie, elle poursuit ses études dans le domaine de la communication
et du journalisme. Puis elle se met à travailler et fonde une famille.

• DE L'ÉCRITURE DE NUIT À L'ÉCRITURE DE JOUR

Delphine de Vigan écrit ses premiers livres la nuit tout en travaillant le jour.
Elle publie ainsi *Jours sans Faim* (2001), *Les Jolis Garçons* (2005), *Un soir
de Décembre* (2005) et *No et moi* (2007).
En 2008, le succès de *No et moi* (Prix des libraires, traduction en 25 langues
et adaptation au cinéma) coïncide avec sa décision de quitter son entreprise
pour se consacrer à un projet de livre sur sa mère et sa famille. Ce livre, *Rien
ne s'oppose à la nuit*, paraît en 2011 et reçoit plusieurs Prix.
Aujourd'hui, Delphine de Vigan vit à Paris et se consacre entièrement à l'écriture.

	1968	1973	1974-1981	1975	1981-1995
EN POLITIQUE	Révoltes de mai	Premier choc pétrolier	Valéry Giscard d'Estaing, président de la République. Majorité légale à 18 ans.	Loi Veil légalisant l'avortement	François Mitterrand, président de la République. Abolition de la peine de mort.

	1954	1957	1960	1963	1964
EN LITTÉRATURE ET CINEMA	Françoise Sagan, *Bonjour Tristesse*	Débuts du nouveau roman (Alain Robbe-Grillet, *La Jalousie*, Nathalie Sarraute, *Tropismes*)	Romain Gary, *La Promesse de l'aube*	Alain Robbe-Grillet, *Pour un nouveau roman*	Autobiographie de Jean-Paul Sartre, *Les Mots*

Que se passe-t-il à l'époque ?

Sur le plan politique

● ÉVOLUTION DES MŒURS ET DES NIVEAUX DE VIE

La France est un pays prospère depuis 1945. En mai 1968, étudiants et ouvriers se révoltent contre la société de consommation, l'autorité et les injustices sociales. Après un mois de grève générale, le SMIC est augmenté de 30 %, les conditions de travail adoucies.

● DE LA CRISE À LA MONDIALISATION

En 1973, le prix du pétrole augmente, les pays occidentaux entrent en crise. En France, le chômage apparaît (1 million de chômeurs en 1977). En 1981, F. Mitterrand est élu président. Il prend des mesures sociales, instaure la rigueur en 1983, libéralise l'économie et provoque l'apparition d'une nouvelle forme de pauvreté (précarisation, SDF).

Sur le plan culturel

● LA CONTESTATION DE LA CULTURE OFFICIELLE

Mai 1968 s'accompagne d'une remise en cause des champs culturels traditionnels. En littérature elle se traduit par un refus de la narration et du réalisme avec le « nouveau roman ». En peinture, la nouvelle figuration conteste la représentation officielle et réintroduit la politique dans l'art.

● ADOLESCENCE ET QUESTION SOCIALE

La littérature et les arts s'intéressent à la question de l'adolescence en mettant en scène des adolescents (Françoise Sagan dans *Bonjour Tristesse*). La question sociale suscite l'intérêt des écrivains et des cinéastes, avec des œuvres comme *Sans toit ni Loi*, film d'Agnès Varda racontant la vie d'une jeune SDF.

1983	1985	1989-1990	1991	2008
Tournant de la rigueur (désindexation des salaires sur les prix, ouverture des marchés des changes)	Création des « Restos du cœur » par Coluche	Chute du mur de Berlin, réunification de l'Allemagne	Dissolution de l'URSS. Création du Samu social en France.	Émeutes de la faim dans le monde

1975	1977	1983	1984	1985
Marie Cardinal, *Les mots pour le dire* (récit d'une psychanalyse). Romain Gary, *La Vie devant soi*	Serge Doubrovsky, *Fils*. Invention du terme « autofiction »	Annie Ernaux, *La Place*. Nathalie Sarraute, *Enfance*	Prix Goncourt pour Marguerite Duras avec *L'Amant*	Film d'Agnès Varda, *Sans toit ni loi*

Un entretien avec Delphine de Vigan

● **COMMENT EST NÉ *NO ET MOI* ?**

D'une image qui m'indignait, la présence de toutes ces jeunes femmes vivant dehors, boulevard Richard Lenoir, que je croisais en me rendant à mon travail. Cette image est le point de départ d'un minutieux travail de documentation et d'enquête sur le terrain de près d'un an. Je me suis intéressée tout particulièrement aux problèmes de ces toutes jeunes femmes, qui ne sont plus mineures et pas encore jeunes adultes et qui se retrouvent subitement à la rue car aucune aide sociale n'est prévue pour cet âge. À partir de là, j'ai imaginé le personnage de No et celui de Lou car je voulais que ce livre soit celui d'une rencontre.

● ***NO ET MOI* EST DONC UN LIVRE ENGAGÉ, QUI PART D'UNE INDIGNATION À PROPOS D'UN PROBLÈME CONTEMPORAIN ?**

Oui, dans la mesure où il est le résultat d'une indignation et que je n'ai pas d'autres moyens que la fiction pour l'exprimer. Mais non au sens où on l'entend. Je veux dire que le livre ne défend pas une thèse ou une morale. On me considère parfois comme une romancière sociale, parce que dans mes précédents romans j'ai évoqué l'anorexie[1], puis le harcèlement au travail[2]. De fait, les écrivains sont souvent amenés à rendre compte de la réalité sociale à un moment donné mais ce n'est pas une règle. Ainsi, j'ai une démarche très intime, ce qui m'intéresse c'est cette relation entre Lou et No, ce qui se passe entre elles deux. Tant mieux si cette démarche très personnelle prend une dimension plus universelle.

● **VOUS PARLEZ D'UNE DÉMARCHE INTIME ? PEUT-ON DIRE QUE CE ROMAN EST AUTOBIOGRAPHIQUE ?**

Il me semble que tout livre a une dimension autobiographique car il naît des émotions, de la vision du monde et de l'histoire de celui qui l'écrit. Les

---

1. *Jours sans faim*, 2001.
2. *Les Heures souterraines*, 2009.

lieux par exemple sont très personnels. Les SDF qui apparaissent dans le roman sont pour certains des gens rencontrés dans le quartier. Plus profondément, il y a bien sûr des points communs entre Lou et moi, mais aussi entre No et moi, en particulier ce sentiment de décalage, de ne pas être à sa place, leurs histoires familiales difficiles, les comportements à risques de No. Je me suis aussi inspirée des adolescents que je pouvais observer autour de moi. Il reste que la fiction donne une très grande liberté. C'est donc une histoire nourrie par mon histoire, mais pas ma propre histoire.

● LES TROIS PERSONNAGES D'ADOLESCENTS ONT UNE GRANDE PRÉSENCE. QUEL EST VOTRE SECRET ?

J'ai eu le sentiment de vivre avec Lucas, No et Lou pendant des mois. J'ai tenté d'inventer un langage pour chacun qui puisse rendre compte de leur état d'esprit : pour Lou, un langage marqué par son goût de la grammaire et des maths ; pour Lucas, une expression qui va de l'allusif jusqu'à l'arrogant face à ses professeurs ; pour No, un langage exprimant ses rêves pour tenter désespérément d'exister. Tous trois ont un point commun : une sorte de marginalité intérieure. C'est cette marginalité, qui est le propre de l'adolescence, qui permet cette rencontre improbable, entre Lou et No, d'abord, mais aussi entre Lou et Lucas.

● LES ADULTES SONT TOUS DES PERSONNAGES SECONDAIRES ET POURTANT ESSENTIELS. COMMENT LES AVEZ-VOUS CONÇUS ?

Ils sont en effet essentiels. Le professeur, monsieur Marin, fait partie des professeurs que certains d'entre nous ont rencontrés : charismatiques, qui vous donnent accès à un nouvel univers, vous donnent envie d'apprendre, de comprendre ; monsieur Marin est une figure de transmission et de protection : c'est pourquoi il offre un livre à Lou à la fin. Quant à la famille de Lou, elle est désemparée depuis la perte de la petite fille. Ils acceptent No chez eux presque par mégarde, sans y réfléchir et elle sera le grain de sable qui, en remettant tout en question, fait repartir la mécanique.

No et moi

Pour Iona et Arthur.

« – Je vous ai dit,
je regardais la mer,
j'étais cachée dans les rochers
et je regardais la mer. »

J.M.G. Le Clézio, *Lullaby.*

❧

— Mademoiselle Bertignac, je ne vois pas votre nom sur la liste des exposés.

De loin Monsieur Marin m'observe, le sourcil levé, les mains posées sur son bureau. C'était compter sans son radar longue portée. J'espérais le sursis, c'est le flagrant délit. Vingt-cinq paires d'yeux tournées vers moi attendent ma réponse. *Le cerveau*[1] pris en faute. Axelle Vernoux et Léa Germain pouffent en silence derrière leurs mains, une dizaine de bracelets tintent de plaisir à leurs poignets. Si je pouvais m'enfoncer cent kilomètres sous terre, du côté de la lithosphère[2], ça m'arrangerait un peu. J'ai horreur des exposés, j'ai horreur de prendre la parole devant la classe, une faille sismique[3] s'est ouverte sous mes pieds, mais rien ne bouge, rien ne s'effondre, je préférerais m'évanouir là, tout de suite, foudroyée, je tomberais raide de ma petite hauteur, les Converse en éventail,

1. **Le cerveau** : surnom donné à la narratrice en raison de son intelligence.
2. **Lithosphère** : enveloppe rigide de la Terre, située à une profondeur variant entre 20 et 200 km sous la surface du sol.
3. **Faille sismique** : point de contact entre plaques continentales où se localisent les tremblements de terre.

les bras en croix, Monsieur Marin écrirait à la craie sur le tableau noir : ci-gît Lou Bertignac, meilleure élève de la classe, asociale[1] et muette●.

20   – … J'allais m'inscrire.
   – Très bien. Quel est votre sujet ?
   – Les sans-abri.
   – C'est un peu général, pouvez-vous préciser ?

Lucas me sourit. Ses yeux sont immenses, je pourrais me noyer à l'intérieur, disparaître, ou laisser le silence engloutir
25 Monsieur Marin et toute la classe avec lui, je pourrais prendre mon sac Eastpack● et sortir sans un mot, comme Lucas sait le faire, je pourrais m'excuser et avouer que je n'en ai pas la moindre idée, j'ai dit ça au hasard, je vais y réfléchir, et puis j'irais voir Monsieur Marin à la fin du cours pour lui expliquer
30 que je ne peux pas, un exposé devant toute la classe c'est tout simplement au-dessus de mes forces, je suis désolée, je fournirais un certificat médical s'il le faut, inaptitude pathologique[2] aux exposés en tout genre, avec le tampon et tout, je serais dispensée. Mais Lucas me regarde et je vois bien qu'il
35 attend que je m'en sorte, il est avec moi, il se dit qu'une fille dans mon genre ne peut pas se ridiculiser devant trente élèves, son poing est serré, un peu plus il le brandirait au-dessus de lui,

1. **Asociale** : inadaptée à la vie en société. Ici, le terme signifie, isolée, communiquant peu avec les autres.
2. **Inaptitude pathologique** : incapacité maladive.

● La phrase imite le style de l'épitaphe, inscription que l'on écrit sur les tombes pour dramatiser et faire ressentir l'inquiétude de la narratrice.

● La citation de marques de vêtements et accessoires (Converse, Eastpack) utilisées par les adolescents permet de marquer que la scène est située dans un lycée.

comme les supporters de foot encouragent les joueurs, mais soudain le silence pèse, on se croirait dans une église.

40 — Je vais retracer l'itinéraire d'une jeune femme sans abri, sa vie, enfin... son histoire. Je veux dire... comment elle se retrouve dans la rue.

Ça frémit dans les rangs, on chuchote.

— Très bien. C'est un beau sujet. On recense chaque année 45 de plus en plus de femmes en errance, et de plus en plus jeunes. Quelles sources documentaires pensez-vous utiliser, mademoiselle Bertignac ?

Je n'ai rien à perdre. Ou tellement que ça ne se compte pas sur les doigts d'une main, ni même de dix, ça relève de l'infiniment 50 grand.

— Le... le témoignage. Je vais interviewer une jeune femme SDF. Je l'ai rencontrée hier, elle a accepté.

Silence recueilli.

Sur sa feuille rose, Monsieur Marin note mon nom, le sujet 55 de mon exposé, je vous inscris pour le 10 décembre, ça vous laisse le temps de faire des recherches complémentaires, il rappelle quelques consignes générales, pas plus d'une heure, un éclairage socio-économique, des exemples, sa voix se perd, le poing de Lucas s'est desserré, j'ai des ailes transparentes, 60 je vole au-dessus des tables, je ferme les yeux, je suis une minuscule poussière, une particule invisible, je suis légère comme un soupir. La sonnerie retentit. Monsieur Marin nous autorise à sortir, je range mes affaires, j'enfile ma veste, il m'interpelle.

65   — Mademoiselle Bertignac, j'aimerais vous dire deux mots.

C'est mort pour la récréation. Il m'a déjà fait le coup, deux mots dans sa numération personnelle, ça se compte en milliers. Les autres traînent pour sortir, ils aimeraient bien savoir. En attendant je regarde mes pieds, mon lacet est défait, comme 70   d'habitude. D'où vient qu'avec un Q.I.[1] de 160 je ne suis pas foutue de faire un lacet ?

— Vous ferez attention à vous, avec votre histoire d'interview. N'allez pas faire de mauvaises rencontres, vous devriez peut-être vous faire accompagner par votre mère ou votre père.

— Ne vous inquiétez pas. Tout est organisé.

75

Ma mère ne sort plus de chez moi depuis des années et mon père pleure en cachette dans la salle de bains. Voilà ce que j'aurais dû lui dire.

D'un trait définitif, Monsieur Marin m'aurait rayée de la liste.

---

1. **Q.I.** : abréviation de « quotient intellectuel », test psychométrique qui tente de fournir une mesure quantifiée et exprimée en chiffres de l'intelligence abstraite.

Bluegasefield, *gravure de Gustave Doré, 1876 (Hachette).*

✺

80   La gare d'Austerlitz, j'y vais souvent, le mardi ou le vendredi, quand je finis les cours plus tôt. J'y vais pour regarder les trains qui partent, à cause de l'émotion, c'est un truc que j'aime bien, voir l'émotion des gens, c'est pour ça que je ne rate jamais les matches de foot à la télévision, j'adore quand ils s'embrassent
85 après les buts, ils courent avec les bras en l'air et ils s'enlacent, et puis aussi *Qui veut gagner des millions*●, il faut voir les filles quand elles donnent la bonne réponse, elles mettent leurs mains devant leur bouche, renversent la tête en arrière, poussent des cris et tout, avec des grosses larmes dans leurs yeux. Dans les
90 gares, c'est autre chose, l'émotion se devine dans les regards, les gestes, les mouvements, il y a les amoureux qui se quittent, les mamies qui repartent, les dames avec des grands manteaux qui abandonnent des hommes au col relevé, ou l'inverse, j'observe ces gens qui s'en vont, on ne sait pas où, ni pourquoi, ni pour

● Jeu télévisé diffusé sur une chaîne
de grande écoute de 2000 à 2010
et qui consistait à gagner de l'argent
en répondant à des questions à choix
multiples de culture générale. La mise
en scène dramatisée du jeu a assuré
son succès.

95 combien de temps, ils se disent au revoir à travers la vitre, d'un petit signe, ou s'évertuent à crier alors qu'on ne les entend pas. Quand on a de la chance on assiste à de vraies séparations, je veux dire qu'on sent bien que cela va durer longtemps ou que cela va paraître très long (ce qui revient au même), alors là
100 l'émotion est très dense, c'est comme si l'air s'épaississait, comme s'ils étaient seuls, sans personne autour. C'est pareil pour les trains à l'arrivée, je m'installe au début du quai, j'observe les gens qui attendent, leur visage tendu, impatient, leurs yeux qui cherchent, et soudain ce sourire à leurs lèvres, leur bras levé,
105 leur main qui s'agite, alors ils s'avancent, ils s'étreignent, c'est ce que je préfère, entre tout, ces effusions.

Bref, voilà pourquoi je me trouvais gare d'Austerlitz. J'attendais l'arrivée du TER[1] de 16 h 44, en provenance de Clermont-Ferrand, c'est mon préféré parce qu'il y a toute sorte de gens,
110 des jeunes, des vieux, des bien habillés, des gros, des maigres, des mal fagotés[2] et tout. J'ai fini par sentir que quelqu'un me tapait sur l'épaule, ça m'a pris un peu de temps parce que j'étais très concentrée, et dans ce cas-là un mammouth pourrait se rouler sur mes baskets, je ne m'en rendrais pas compte. Je me
115 suis retournée.

– T'as pas une clope ?

Elle portait un pantalon kaki sale, un vieux blouson troué aux coudes, une écharpe Benetton comme celle que ma mère garde au fond de son placard, en souvenir de quand elle était jeune.
120 – Non, je suis désolée, je ne fume pas. J'ai des chewing-gums à la menthe, si vous voulez.

---

1. **TER** : train express régional.
2. **Mal fagotés** : mal habillés.

Elle a fait la moue, puis m'a tendu la main, je lui ai donné le paquet, elle l'a fourré dans son sac.

– Salut, je m'appelle No. Et toi ?

125 – No ?

– Oui.

– Moi, c'est Lou... Lou Bertignac. (En général, ça fait son petit effet, car les gens croient que je suis de la famille du chanteur[1], peut-être même sa fille, une fois quand j'étais au collège, j'ai

130 fait croire que oui, bon après ça s'est compliqué, quand il a fallu que je donne des détails, que je fasse signer des autographes[2] et tout, j'ai dû avouer la vérité.)

Cela n'a pas eu l'air de l'émouvoir. Je me suis dit que ce n'était pas son genre de musique. Elle s'est dirigée vers un homme

135 qui lisait son journal debout, à quelques mètres de nous. Il a levé les yeux au ciel en soupirant, a sorti une cigarette de son paquet, elle l'a attrapée sans le regarder, puis elle est revenue vers moi.

– Je t'ai déjà vue ici, plusieurs fois. Qu'est-ce que tu fais ?

140 – Je viens pour regarder les gens.

– Ah. Et des gens, y'en a pas par chez toi ?

– Si. Mais c'est pas pareil.

– T'as quel âge ?

– Treize ans.

145 – T'aurais pas deux ou trois euros, j'ai pas mangé depuis hier soir ?

---

1. **Louis Bertignac** : chanteur né en 1954, guitariste
et fondateur du groupe Téléphone (1976-1986).
2. **Autographe** : signature qu'un admirateur demande
à une personnalité.

J'ai cherché dans la poche de mon jean, il me restait quelques pièces, j'ai tout donné sans regarder. Elle a compté avant de refermer sa main.

150 — T'es en quelle classe ?

— En seconde.

— C'est pas l'âge normal, ça ?

— Ben... non. J'ai deux ans d'avance.

— Comment ça se fait ?

155 — J'ai sauté des classes.

— J'ai bien compris, mais comment ça se fait, Lou, que t'as sauté des classes ?

J'ai trouvé qu'elle me parlait d'une manière bizarre, je me suis demandé si elle n'était pas en train de se moquer de moi, mais 160 elle avait un air très sérieux et très embêté à la fois.

— Je ne sais pas. J'ai appris à lire quand j'étais à la maternelle, alors je ne suis pas allée au CP, et puis après j'ai sauté le CM1. En fait je m'ennuyais tellement que j'enroulais mes cheveux autour d'un doigt et je tirais dessus, toute la journée, alors au 165 bout de quelques semaines j'ai eu un trou. Au troisième trou, j'ai changé de classe.

Moi aussi j'aurais bien voulu lui poser des questions, mais j'étais trop intimidée, elle fumait sa cigarette et me regardait de haut en bas et de bas en haut, comme si elle cherchait 170 un truc que je pourrais lui donner. Le silence s'était installé (entre nous, parce que sinon il y avait la voix synthétique dans le haut-parleur qui nous cassait les oreilles), alors je me suis sentie obligée d'ajouter que maintenant, ça allait mieux.

175 – Ça va mieux quoi, les cheveux ou l'ennui ?

– Ben... les deux.

Elle a ri. Alors j'ai vu qu'il lui manquait une dent, je n'ai même pas eu à réfléchir un dixième de seconde pour trouver la bonne réponse : une prémolaire●.

180 Depuis toute la vie je me suis toujours sentie en dehors, où que je sois, en dehors de l'image, de la conversation, en décalage, comme si j'étais seule à entendre des bruits ou des paroles que les autres ne perçoivent pas, et sourde aux mots qu'ils semblent entendre, comme si j'étais hors du cadre, de l'autre côté d'une
185 vitre immense et invisible.

Pourtant hier j'étais là, avec elle, on aurait pu j'en suis sûre dessiner un cercle autour de nous, un cercle dont je n'étais pas exclue, un cercle qui nous enveloppait, et qui, pour quelques minutes, nous protégeait du monde.

190 Je ne pouvais pas rester, mon père m'attendait, je ne savais pas comment lui dire au revoir, s'il fallait dire madame ou mademoiselle, ou si je devais l'appeler No puisque je connaissais son prénom. J'ai résolu le problème en lançant un au revoir tout court, je me suis dit qu'elle n'était pas du
195 genre à se formaliser sur la bonne éducation et tous ces trucs de la vie en société qu'on doit respecter. Je me suis retournée pour lui faire un petit signe de la main, elle est restée là, à me regarder partir, ça m'a fait de la peine parce qu'il suffisait de

● Lou utilise un vocabulaire très recherché
et savant pour exprimer ses pensées,
ce qui permet de montrer au lecteur
qu'elle est surdouée.

voir son regard, comme il était vide, pour savoir qu'elle n'avait personne pour l'attendre, pas de maison, pas d'ordinateur, et
200 peut-être nulle part où aller.

Le soir au dîner j'ai demandé à ma mère comment de très jeunes filles pouvaient être dans la rue, elle a soupiré et m'a répondu que la vie était ainsi : injuste. Pour une fois je me suis contentée de ça, alors que les premières réponses sont souvent
205 des esquives[1], il y a longtemps que je le sais.

J'ai revu la pâleur de son teint, ses yeux agrandis par la maigreur, la couleur de ses cheveux, son écharpe rose, sous l'empilement de ses trois blousons j'ai imaginé un secret, un secret planté dans son cœur comme une épine, un secret qu'elle
210 n'avait jamais dit à personne. J'ai eu envie d'être près d'elle. Avec elle. Dans mon lit j'ai regretté de ne pas lui avoir demandé son âge, ça me tracassait. Elle avait l'air si jeune.

En même temps il m'avait semblé qu'elle connaissait vraiment la vie, ou plutôt qu'elle connaissait de la vie quelque chose qui
215 faisait peur.

1. **Esquives** : feintes pour éviter un danger
   ou un obstacle. Ici, manière de ne pas répondre
   à une question embarrassante.

✿

Lucas s'est assis au dernier rang, à sa place. De la mienne je peux voir son profil, son air de bagarre. Je peux voir sa chemise ouverte, son jean trop large, ses pieds nus dans ses baskets. Il est renversé sur sa chaise, bras croisés, en position d'observation,
220 comme quelqu'un qui aurait atterri là par hasard, en raison d'une erreur d'aiguillage ou d'un malentendu administratif. Posé au pied de sa table, son sac semble vide. Je l'observe à la dérobée, je me souviens de lui, le jour de la rentrée.

Je ne connaissais personne et j'avais peur. Je m'étais installée
225 dans le fond, Monsieur Marin distribuait les fiches, Lucas s'est tourné vers moi, il m'a souri. Les fiches étaient vertes. Leur couleur change chaque année, mais les cases sont toujours les mêmes, nom, prénom, profession des parents, et puis tout un tas de trucs à remplir qui ne regardent personne. Comme Lucas
230 n'avait pas de stylo, je lui en ai prêté un, je lui ai tendu comme j'ai pu, de l'autre côté de l'allée centrale.

— Monsieur Muller, je vois que vous commencez l'année dans les meilleures dispositions. Votre matériel est resté sur la plage ?
235 Lucas n'a pas répondu. Il a jeté un œil dans ma direction, j'avais peur pour lui. Mais Monsieur Marin a commencé la

distribution des emplois du temps. Sur ma fiche je suis arrivée
à la case « frères et sœurs », j'ai écrit zéro en toutes lettres.

Le fait d'exprimer l'absence de quantité par un nombre n'est
240 pas une évidence en soi. Je l'ai lu dans mon encyclopédie des
Sciences. L'absence d'un objet ou d'un sujet s'exprime mieux par
la phrase « il n'y en a pas » (ou « plus »). Les nombres demeurent
une abstraction et le zéro ne dit ni l'absence ni le chagrin.

J'ai relevé la tête et j'ai vu que Lucas me regardait, parce que
245 j'écris de la main gauche avec le poignet retourné, ça étonne
toujours les gens, tant de complication pour tenir un stylo. Il me
regardait avec l'air de se demander comment une si petite chose
avait pu arriver jusque-là. Monsieur Marin a fait l'appel puis il a
commencé son premier cours. Dans ce silence attentif j'ai pensé
250 que Lucas Muller était le genre de personne à qui la vie ne fait pas
peur. Il était resté appuyé sur sa chaise et ne prenait pas de notes.

Aujourd'hui je connais tous les noms, les prénoms et les
habitudes de la classe, les affinités[1] et les rivalités, le rire de Léa
Germain et les chuchotements d'Axelle, les jambes interminables
255 de Lucas qui dépassent dans les allées, la trousse clignotante de
Lucille, la longue tresse de Corinne, les lunettes de Gauthier.
Sur la photo prise quelques jours après la rentrée, je suis devant,
là où on met les plus petits. Au-dessus de moi, tout en haut,
Lucas se tient debout, l'air renfrogné. Si on admet que par deux
260 points on peut faire passer une droite et une seule, un jour je
dessinerai celle-ci, de lui vers moi ou de moi vers lui.

---

1. Affinités : sympathies.

● No utilise fréquemment des métaphores
mathématiques pour traduire
les rapports humains, ce qui manifeste
sa compétence en cette matière.

29

No est assise par terre, appuyée contre un poteau, elle a déposé devant ses pieds une boîte de thon vide dans laquelle sont tombées quelques pièces. Je n'ai pas vérifié les horaires des trains sur le panneau d'affichage, je me suis dirigée directement vers les quais, à l'endroit même où elle m'avait abordée, je m'avance vers elle d'un pas décidé, je m'approche et soudain j'ai peur qu'elle ne se souvienne pas de moi.

– Salut.

– Tiens, Lou Bertignac.

Elle a dit ça sur un ton hautain, celui qu'on utilise pour imiter les gens un peu snobs dans les sketches comiques ou les publicités. J'ai failli faire marche arrière mais j'avais pas mal répété et n'avais pas envie de renoncer.

– J'ai pensé qu'on pourrait aller boire un chocolat... ou autre chose... Si tu veux. Je t'invite.

Elle se lève d'un bond, attrape son sac en toile, marmonne qu'elle ne peut pas laisser tout ça là, elle désigne du menton une petite valise à roulettes et deux sacs en plastique pleins à craquer, je prends les sacs et lui laisse la valise, j'entends un merci derrière moi, sa voix me paraît moins assurée que la première fois. Je suis fière d'avoir fait ça, d'ouvrir la marche, et pourtant je suis morte de peur à l'idée

Photo du film No et moi de Zabou Breitman, 2009.

de me retrouver en face d'elle. Près des guichets nous croisons un homme avec un grand manteau sombre, il lui fait un signe, je me
285 retourne, je la vois répondre, de la même manière, avec un petit mouvement de la tête, imperceptible, en guise d'explication elle me dit qu'il y a beaucoup de flics dans les gares. Je n'ose pas poser de question, je regarde autour de moi si j'en repère d'autres, mais je ne vois rien, je suppose qu'il faut beaucoup d'entraînement pour
290 les reconnaître. Comme je m'apprête à entrer dans le café situé à côté du panneau d'affichage des trains, elle me retient par l'épaule. Elle ne peut pas aller là, elle est grillée[1]. Elle préférerait sortir. Nous passons devant le relais à journaux, elle fait un détour pour saluer la femme qui tient la caisse que j'observe de loin, elle a une grosse
295 poitrine, ses lèvres sont peintes et ses cheveux roux flamboyant, elle donne à No un Bounty et un paquet de petits Lu, No me rejoint. Nous traversons le boulevard et entrons dans l'une de ces brasseries aux larges vitrines qui se ressemblent toutes, j'ai juste le temps de lire le nom inscrit sur l'auvent. À l'intérieur du Relais
300 d'Auvergne ça sent la saucisse et le chou, je cherche dans ma base de données interne à quelle spécialité culinaire peut correspondre cette odeur, potée au chou, chou farci, choux de Bruxelles, chou blanc, savez-vous planter les choux, il faut toujours que je prenne les chemins de traverse, que je me disperse, c'est énervant mais
305 c'est plus fort que moi.

Nous nous asseyons, No garde ses mains sous la table. Je commande un coca, elle prend une vodka. Le serveur hésite quelques secondes, un peu plus il va lui demander son âge, mais elle soutient son regard avec une insolence incroyable,
310 ça veut dire *ne me fais pas chier connard*, ça j'en suis sûre, on

---

1. **Grillée** : repérée ; emploi figuré et familier.

peut le lire comme sur une pancarte, et puis il voit son blouson troué, celui qu'elle garde au-dessus, et comme il est sale, il dit ça marche et tourne les talons.

315 Je vois souvent ce qui se passe dans la tête des gens, c'est comme un jeu de pistes, un fil noir qu'il suffit de faire glisser entre ses doigts, fragile, un fil qui conduit à la vérité du Monde, celle qui ne sera jamais révélée. Mon père un jour il m'a dit que ça lui faisait peur, qu'il ne fallait pas jouer à ça, qu'il fallait savoir baisser les yeux pour préserver son regard d'enfant. Mais moi 320 les yeux je n'arrive pas à les fermer, ils sont grands ouverts et parfois je mets mes mains devant pour ne pas voir.

Le serveur revient, il pose les verres devant nous, No attrape le sien d'un geste impatient. Alors je découvre ses mains noires, ses ongles rongés jusqu'au sang, et les traces de griffures sur 325 ses poignets. Ça me fait mal au ventre.

On boit comme ça, en silence, je cherche quelque chose à dire mais rien ne vient, je la regarde, elle a l'air si fatiguée, pas seulement à cause des cernes sous ses yeux, ni de ses cheveux emmêlés, retenus par un vieux chouchou, ni de ses vêtements 330 défraîchis, il y a ce mot qui me vient à l'esprit, *abîmée*, ce mot qui fait mal, je ne sais plus si elle était déjà comme ça, la première fois, peut-être n'avais-je pas remarqué, il me semble plutôt qu'en l'espace de quelques jours elle a changé, elle est plus pâle ou plus sale, et son regard plus difficile à attraper.

335 C'est elle qui parle en premier.

– T'habites dans le quartier ?

– Non. À Filles du Calvaire. Près du Cirque d'Hiver[1].

---

1. **Filles du Calvaire et Cirque d'Hiver** : station de métro et monument parisiens situés entre la place de la Bastille et la place de la République.

— Et toi ?

Elle sourit. Elle ouvre ses mains devant elle, ses mains noires
340 et vides, dans un geste d'impuissance qui veut dire : rien, nulle
part, ici... ou je ne sais pas.

[...]

Je bois une grande gorgée de mon coca et je demande :

— Alors où tu dors ?

345 — À droite ou à gauche. Chez des gens. Des connaissances.
Rarement plus de trois ou quatre jours au même endroit.

— Et tes parents ?

— J'en ai pas.

— Ils sont morts ?

350 — Non.

Elle me demande si elle peut prendre autre chose à boire, ses
pieds gigotent sous la table, elle ne peut pas s'appuyer sur le
dossier, ni poser ses mains quelque part, elle m'observe, détaille
mes vêtements, change de position, revient à la précédente, elle
355 fait tourner entre ses doigts un briquet orange, il y a dans tout son
corps une forme d'agitation, de tension, nous restons comme ça,
en attendant que le serveur revienne, j'essaie de sourire, pour
avoir l'air naturel, mais il n'y a rien de plus difficile que d'avoir
l'air naturel quand précisément on y pense, et pourtant j'ai
360 beaucoup d'entraînement, je me retiens de poser le déluge[1] de
questions qui se bousculent dans ma tête, quel âge as-tu, depuis
quand tu ne vas plus à l'école, comment tu fais pour manger,
qui sont ces gens chez qui tu dors, mais j'ai peur qu'elle s'en

1. **Déluge** : épisode de la Genèse dans lequel Dieu
provoque une pluie torrentielle pendant quarante
jours. Par image, phénomène abondant.

aille, qu'elle se rende compte qu'avec moi elle perd son temps.

365 Elle entame sa deuxième vodka, elle se lève pour attraper une cigarette sur la table d'à-côté (notre voisin vient de descendre aux toilettes en abandonnant son paquet), elle aspire une longue bouffée et me demande de lui parler.

Elle ne dit pas : et toi, ni qu'est-ce que tu fais dans la vie, elle 370 dit exactement ça :

— Est-ce que tu peux me parler ?

Parler je n'aime pas trop ça, j'ai toujours l'impression que les mots m'échappent, qu'ils se dérobent, s'éparpillent, ce n'est pas une question de vocabulaire ni de définition, parce que des 375 mots j'en connais pas mal, mais au moment de les dire ils se troublent, se dispersent, c'est pourquoi j'évite les récits et les discours, je me contente de répondre aux questions que l'on me pose, je garde pour moi l'excédent, l'abondance, ces mots que je multiplie en silence pour approcher la vérité.

380 Mais No est devant moi et son regard est comme une prière.

Alors je me lance, dans le désordre, et tant pis si j'ai l'impression d'être toute nue, tant pis si c'est idiot, quand j'étais petite je cachais sous mon lit une boîte à trésors, avec dedans toute sorte de souvenirs, une plume de paon du Parc Floral[1], 385 des pommes de pain, des boules en coton pour se démaquiller, multicolores, un porte-clés clignotant et tout, un jour j'y ai déposé un dernier souvenir, je ne peux pas te dire lequel, un souvenir très triste qui marquait la fin de l'enfance, j'ai refermé la boîte, je l'ai glissée sous mon lit et ne l'ai plus jamais touchée, 390 mais des boîtes ceci dit j'en ai d'autres, une pour chaque rêve, dans ma nouvelle classe les élèves m'appellent *le cerveau*,

---

1. **Parc Floral** : jardin d'agrément situé à l'Est de Paris, à proximité du château de Vincennes.

ils m'ignorent ou me fuient, comme si j'avais une maladie contagieuse, mais au fond je sais que c'est moi qui n'arrive pas à leur parler, à rire avec eux, je me tiens à l'écart, il y a aussi un garçon, il s'appelle Lucas, il vient me voir parfois à la fin des cours, il me sourit, il est en quelque sorte le chef de la classe, celui que tout le monde respecte, il est très grand, très beau et tout, mais je n'ose pas lui parler, le soir j'expédie mes devoirs et je vaque à mes occupations, je cherche des nouveaux mots, c'est comme un vertige, parce qu'il y en a des milliers, je les découpe dans les journaux, pour les apprivoiser, je les colle sur les grands cahiers blancs que ma mère m'a offerts, quand elle est sortie de l'hôpital, j'ai plein d'encyclopédies aussi, mais je ne m'en sers plus tellement, à force je les connais par cœur, au fond du placard j'ai une cachette secrète, avec des tas de trucs que je ramasse dans la rue, des trucs perdus, des trucs cassés, abandonnés et tout...

Elle me regarde avec l'air amusé, elle n'a pas l'air de me trouver bizarre, rien ne semble l'étonner, avec elle je peux dire mes pensées, même si elles se mélangent ou se bousculent, je peux dire le désordre qu'il y a dans ma tête, je peux dire *et tout* sans qu'elle me le fasse remarquer, parce qu'elle comprend ce que ça veut dire, j'en suis sûre, parce qu'elle sait que *et tout* c'est pour toutes les choses qu'on pourrait ajouter mais qu'on passe sous silence, par paresse, par manque de temps, ou bien parce que ça ne se dit pas.

Elle pose son front entre ses bras, sur la table, alors je continue, je ne sais pas si cela m'est déjà arrivé, je veux dire de parler aussi longtemps, comme dans un monologue de théâtre[1], sans

---

1. **Monologue de théâtre** : scène dans laquelle
   un personnage parle seul sur la scène.

420 aucune réponse, et puis voilà qu'elle s'endort, j'ai terminé mon coca et je reste là, à la regarder dormir, c'est toujours ça de pris pour elle, la chaleur du café et la banquette bien rembourrée que j'ai veillé à lui laisser, je ne peux pas lui en vouloir, moi aussi je me suis endormie quand on est allés voir *L'École des femmes*[1]
425 avec la classe, et pourtant c'était vraiment bien, mais j'avais trop de trucs dans ma tête et parfois c'est comme les ordinateurs, le système se met en veille pour préserver la mémoire.

Vers sept heures, je commence à avoir vraiment la trouille de me faire engueuler, je la secoue doucement.

430 Elle ouvre un œil, je chuchote.

– Je suis désolée, mais il faut que j'y aille.

L'empreinte des mailles de son pull est tatouée sur sa joue.

– T'as payé ?

– Oui.

435 – Je vais rester un peu ici.

– Est-ce qu'on pourra se revoir ?

– Si tu veux.

J'enfile mon manteau et je sors. Dans la rue je me retourne pour lui faire un signe à travers la vitre, mais No ne me regarde
440 pas.

1. *L'École des femmes* : pièce de Molière jouée
   pour la première fois en 1662.

– Mademoiselle Bertignac, vous viendrez me voir à la fin du cours, j'ai fait quelques recherches sur votre sujet, je vous donnerai des éléments.

– Oui Monsieur.

445 Il faut dire oui Monsieur. Il faut entrer en silence dans la classe, sortir ses affaires, répondre présent à l'appel de son nom, de manière audible, attendre que Monsieur Marin donne le signal pour se lever quand retentit la sonnerie, ne pas balancer les pieds sous sa chaise, ne pas regarder son portable pendant 450 les cours, ni jeter un œil à la pendule de la salle, ne pas faire des tortillons avec ses cheveux, ne pas faire de messes basses[1] avec son voisin ou sa voisine, ne pas avoir les fesses à l'air, ni le nombril, il faut lever le doigt pour prendre la parole, avoir les épaules couvertes même s'il fait quarante degrés, ne pas 455 mâchonner son stylo et encore moins du chewing-gum. Et j'en passe. Monsieur Marin est la Terreur du lycée. Il est contre les strings, les tailles basses, les pantalons qui traînent par terre, le gel et les cheveux décolorés, Mademoiselle Dubosc vous reviendrez en classe quand vous porterez un vêtement digne de

---

1. **Messes basses** : messes privées ; par image, confidences en chuchotant.

460 ce nom, Monsieur Muller voici un peigne, je vous donne deux minutes pour vous coiffer.

Mes dix-huit de moyenne ne garantissent aucune immunité[1], depuis le premier jour il m'interpelle dès que je regarde par la fenêtre, dès que je m'éloigne, deux secondes suffisent, 465 Mademoiselle Bertignac auriez-vous l'amabilité de revenir parmi nous, vous avez tout le temps de rejoindre votre Ford intérieure[2], dites-moi, quel temps fait-il dans vos sphères ? Monsieur Marin doit avoir une douzaine de paires d'yeux invisibles réparties sur tout le corps, un détecteur d'inattention 470 greffé dans les narines et des antennes de limace. Il voit tout, entend tout, rien ne lui échappe. Et pourtant je n'ai pas le ventre à l'air, mes cheveux sont lisses et attachés, je porte des jeans normaux et des pulls à manches longues, je fais ce qu'il faut pour me fondre dans le décor, je n'émets aucun son, ne prends 475 la parole que lorsqu'il m'interroge et mesure trente centimètres de moins que la plupart des élèves de la classe. Tout le monde respecte Monsieur Marin. Il n'y a que Lucas pour oser quitter le cours, la tête haute, après lui avoir répondu : les peignes, Monsieur Marin, c'est comme les brosses à dents, ça ne se prête 480 pas.

– Selon les estimations il y a entre 200 000 et 300 000 personnes sans domicile fixe, 40 % sont des femmes, le chiffre est en augmentation constante. Et parmi les SDF âgés de 16 à 18 ans, la proportion de femmes atteint 70 %. Vous avez choisi un 485 bon sujet, Mademoiselle Bertignac, même s'il n'est pas facile

1. **Immunité** : ne pas pouvoir être puni en raison de son statut particulier.
2. **Ford intérieure** : calembour avec « for intérieur », qui désigne la pensée.

à traiter, j'ai emprunté pour vous à la bibliothèque un ouvrage très intéressant sur l'exclusion en France, je vous le confie, ainsi que cette photocopie d'un article récent paru dans *Libération*[1]. Si vous avez besoin d'aide, n'hésitez pas à me solliciter. Je compte
490 sur vous pour faire un exposé moins rébarbatif[2] que ceux de vos collègues, vous en avez les capacités, je vous laisse filer, profitez de votre récréation.

[...]

Ça vient de sonner. Les élèves commencent à regagner les
495 étages, ils se disent à plus[3], se tapent dans les mains, Lucas s'approche, on dirait qu'il vient vers moi, je cherche ce que je pourrais bien faire pour me donner une contenance, j'enfonce mes mains dans mes poches, pourquoi tout à coup fait-il cinquante degrés dans mon manteau ? Si seulement j'étais
500 équipée d'une fonction *refroidissement d'urgence*, ça m'arrangerait un peu.

— Dis donc, t'as fait mouche avec tes sans-abri ! Marin, il ne va pas te lâcher comme ça, c'est le genre de sujet qui le branche grave[4].

505 Je suis muette. Je suis une carpe[5]. Mes neurones ont dû s'éclipser par la porte de derrière, mon cœur bat comme si je venais de courir six cents mètres, je suis incapable

---

1. *Libération* : journal quotidien fondé par Jean-Paul Sartre et aujourd'hui détenu par l'un des héritiers de la banque Rotschild.
2. **Rébarbatif** : ennuyeux.
3. et 4. **À plus** pour « à plus tard » et **le branche grave** pour « lui plaît beaucoup », à nouveau l'auteur se fait l'écho du langage lycéen.
5. **Carpe** : poisson d'étang très silencieux. Par métaphore, rester muet.

d'émettre une réponse, ne serait-ce que oui ou non, je suis pathétique[1].

510   – T'inquiète pas, Pépite, je suis sûr que tout va bien se passer. Tu sais, l'année dernière je l'avais déjà, Marin. Pour les exposés, il est cool[2]. Il aime quand ça sort de l'ordinaire. Et puis c'est carrément bien, ton idée d'interview. Tu viens ?

    Je lui emboîte le pas. C'est un garçon particulier. Je le sais
515 depuis le début. Pas seulement à cause de son air en colère, son dédain[3] ou sa démarche de voyou. À cause de son sourire, un sourire d'enfant.

    Le prof d'arts plastiques rend les travaux réalisés la semaine précédente, je regarde par la fenêtre, il me semble que les nuages
520 sont en chute libre, il y a des traînées blanches partout dans le ciel, une odeur de soufre, et si le sol se mettait à trembler ? Je dois faire un exposé.

    Un éclat de voix me ramène dans la classe. Il n'y a rien. Ni tempête ni ouragan, aucune catastrophe naturelle en gestation,
525 Axelle et Léa s'échangent des petits mots sous la table, à bien y réfléchir ça sent surtout les frites de la cantine.

    Il me reste à étudier les documents que Monsieur Marin m'a donnés. Et à convaincre No de m'aider.

---

1. Pathétique : pitoyable. Terme ici très péjoratif.
2. Cool : mot anglais qui signifie relaxé, détendu, peu exigeant.
3. Dédain : mélange de mépris et de désintérêt.

꽃

C'est un jour gris et il pleut. Je sors du métro et m'engouffre
530 aussitôt dans la gare, de loin je la repère, devant le kiosque
à journaux, elle est debout, elle ne fait pas la manche. Je
m'avance vers elle, elle répond par un grognement quand je lui
dis bonjour, elle a l'air de très mauvaise humeur. No accepte
de me suivre pour prendre un verre, j'ai pris soin de brandir
535 mon porte-monnaie pour signifier clairement que c'était moi
qui payais. Au café je fais des efforts pour ne pas regarder ses
mains, mes pieds balancent à toute vitesse sous la banquette,
je regarde autour en quête d'un point sur lequel fixer mon
attention, je m'arrête sur les œufs durs posés sur le comptoir, je
540 pense à l'œuf carré que nous avons fabriqué avec mes cousins
l'été dernier, ils avaient trouvé l'astuce dans *Pif Gadget*[1]. Il fallait
le faire cuire, l'éplucher tandis qu'il était encore chaud, le glisser
dans un moule en carton fabriqué à partir de la maquette
fournie dans le journal, et le laisser vingt-quatre heures au
545 réfrigérateur. C'est vrai que ça fait un drôle d'effet, un œuf
carré, comme toutes les choses qu'on n'a pas l'habitude de voir,

---

1. *Pif Gadget* : journal pour enfants des années 1970-
  1980, qui proposait chaque semaine un gadget
  ou un jeu amusant.

j'en imagine d'autres, des fourchettes télescopiques, des fruits translucides, une poitrine amovible, mais No est en face de moi, l'air renfrogné, ce n'est pas le moment de s'éparpiller, il faut
550 que je revienne à l'essentiel, si seulement j'étais équipée d'un bouton *retour immédiat à la réalité*, ça m'arrangerait un peu.

– Je voulais te voir parce que j'ai un truc à te demander (c'est l'introduction●, j'ai préparé).

– Ouais ?

555 – Pour mon cours de SES[1], j'ai un exposé à faire...

– C'est quoi ce truc ?

– ...C'est Sciences économiques et sociales. Un cours où on étudie pas mal de trucs, par exemple la situation économique en France, la bourse, la croissance, les classes sociales, le quart-
560 monde●, et tout... tu vois ?

– Mmm.

– Bon, en fait, les exposés, c'est ma hantise, je veux dire que j'ai vraiment la trouille et le prof, c'est pas une crème. Le problème c'est que j'ai raconté que j'allais faire un truc
565 sur les sans-abri... un truc pour expliquer par exemple, euh... comment (là je rentre dans le vif du sujet, la partie délicate, je ne me souviens plus du tout ce que j'avais prévu, avec l'émotion, c'est toujours comme ça)... comment des femmes,

---

● No manifeste encore son talent en appliquant intelligemment une démarche méthodique apprise en classe.

1. **SES** : acronyme de sciences économiques et sociales.

● La bourse : lieu où s'échangent des actions, qui sont des parts de propriétés dans les grandes entreprises. La croissance : augmentation de l'activité économique d'un pays. Classes sociales : les différentes composantes d'une société (les pauvres, les riches...). Quart-monde : expression forgée pour désigner les personnes sans emploi et sans domicile, apparues en France dans les années 1980 et dont le nombre ne cesse d'augmenter.

en particulier des jeunes femmes, peuvent se retrouver dans
570 la rue. Comme toi.

— Je t'ai dit que je dormais chez des potes.

— Oui, bien sûr, je sais bien, c'est ce que je voulais dire, des femmes sans domicile fixe, quoi...

— T'as parlé de moi ?

575 — Non,... enfin, si... pas de toi, avec ton nom bien sûr mais j'ai dit que j'allais faire une interview.

— Une interview ?

Ses yeux se sont agrandis, elle ramasse machinalement la mèche qui lui tombe dans les yeux.

580 — Je reprendrais bien une bière.

— D'accord, pas de souci (je suis lancée, il ne faut surtout pas s'interrompre, briser le fil, il faut que ça s'enchaîne), donc si tu veux bien, je pourrais te poser quelques questions, ça me servirait à illustrer les choses, comme un témoignage, tu vois ?

585 — Je vois très bien.

Ce n'est pas gagné. Elle fait signe au serveur, il acquiesce de loin.

— Tu serais d'accord ?

Elle ne répond pas.

— Tu pourrais me dire simplement comment ça se passe, tu
590 vois, pour manger, pour dormir, ou si tu préfères me parler d'autre gens que tu connais qui sont dans la même situation.

Toujours rien.

— Et puis comme ça, je reviendrai te voir. On boira des coups.

Le serveur pose la bière sur la table, il veut *encaisser de suite*[1],
595 j'ai déjà remarqué que les serveurs ont leur propre langage, ils

---

1. **Encaisser de suite** : être payé immédiatement.

terminent leur service donc ils *encaissent de suite*, peu importe s'ils sont toujours là deux heures plus tard, c'est pareil dans tout Paris, je tends mon billet de cinq euros, No baisse la tête, j'en profite pour l'observer en détail, si on fait abstraction des traces noires sur son visage et sur son cou, de ses cheveux sales, elle est très jolie. Si elle était propre, bien habillée et bien coiffée, si elle était moins fatiguée, elle serait peut-être même encore plus jolie que Léa Germain.

Elle relève la tête.

— Qu'est-ce que tu me donnes en échange ?

Il est tard et mon père doit être inquiet, je rentre à la maison par le chemin le plus court, je me repasse la conversation en boucle, c'est facile parce que j'enregistre tout, le moindre soupir, je ne sais pas d'où ça vient, depuis que je suis toute petite je sais faire ça, les mots s'impriment dans ma tête comme sur une bande passante[1], sont stockés pendant plusieurs jours, j'efface au fur et à mesure ce qui doit l'être pour éviter l'encombrement. Le dîner est prêt, la table mise. Ma mère est couchée. Mon père pose le plat devant moi, il attrape mon assiette pour me servir, verse l'eau dans les verres, je vois bien qu'il est triste, il fait des efforts pour paraître enjoué, mais sa voix sonne faux. Je sais reconnaître ça, entre autres choses, le son des voix quand le mensonge est à l'intérieur, et les mots qui disent le contraire des sentiments, je sais reconnaître la tristesse de mon père, et celle

---

1. **Bande passante** : terme qui désigne la capacité de débit d'informations d'un système numérique mesurée en bits. Lou veut sans doute dire bande magnétique.

620 de ma mère, comme des lames de fond[1]. J'avale le poisson pané et la purée, j'essaie de sourire pour le rassurer. Mon père est très fort pour animer une conversation et donner l'impression qu'il se passe des choses quand il ne se passe rien. Il sait faire les questions et les réponses, relancer la discussion, digresser[2],
625 enchaîner, seul, dans le silence de maman. D'habitude j'essaie de l'aider, de faire bonne figure, de prendre part, je demande des précisions, des exemples, je pousse les raisonnements, je cherche la contradiction, mais cette fois je ne peux pas, je pense à mon exposé, à Lucas, à No, tout se mêle dans une même
630 sensation de peur, il me parle de son travail et d'un voyage qu'il doit faire prochainement, je regarde le papier peint de la cuisine, les dessins de quand j'étais petite collés au mur et le grand cadre avec les photos de nous trois, les photos d'avant.

— Tu sais Lou, il faudra du temps pour qu'on retrouve
635 l'ancienne maman. Beaucoup de temps. Mais il ne faut pas t'inquiéter. On y arrivera.

Dans mon lit, je pense à No, à son blouson dont j'ai compté les trous. Il y en a cinq : deux trous de cigarette et trois accrocs.
640 Dans mon lit je pense à Lucas et il y a cette phrase qui revient :
— T'inquiète pas, Pépite, je suis sûr que tout va bien se passer.

1. **Lames de fond** : vagues puissantes et qu'on ne distingue pas tout de suite.
2. **Digresser** : faire des digressions, des développements sans rapport direct avec le sujet.

Quand j'étais petite je passais des heures devant la glace à essayer de recoller mes oreilles. Je me trouvais moche, je me demandais si ça pouvait se réparer, par exemple en les enfermant

645 tous les jours dans un bonnet de bain, été comme hiver, ou dans un casque de vélo, ma mère m'avait expliqué que bébé je dormais sur le côté, l'oreille mal pliée. Quand j'étais petite je voulais être un feu rouge, au plus grand carrefour, il me semblait qu'il n'y avait rien de plus digne, de plus respectable, régler la circulation,

650 passer du rouge au vert et du vert au rouge pour protéger les gens. Quand j'étais petite je regardais ma mère se maquiller devant le miroir, je suivais ses gestes un à un, le crayon noir, le rimmel, le rouge sur les lèvres, je respirais son parfum, je ne savais pas que c'était si fragile, je ne savais pas que les choses

655 peuvent s'arrêter, comme ça, et ne plus jamais revenir.

Quand j'avais huit ans ma mère est tombée enceinte. Cela faisait longtemps qu'ils essayaient d'avoir un deuxième enfant, mon père et elle. Elle était allée chez le gynécologue[1], elle avait

---

1. **Gynécologue** : médecin spécialisé qui s'occupe
   de la physiologie et des affections de l'appareil génital
   des femmes et de la grossesse.

pris des médicaments, elle avait eu des piqûres, et puis ça avait
660 fini par venir. Dans l'encyclopédie des mammifères j'avais
étudié la reproduction, l'utérus, les ovules, les spermatozoïdes[1]
et tous ces trucs-là, alors j'avais pu poser des questions précises,
pour comprendre ce qui se passait. Le médecin avait parlé d'une
fécondation in vitro[2] (j'aurais trouvé ça épique d'avoir un frère
665 ou une sœur fabriqué dans une éprouvette) mais finalement ils
n'en avaient pas eu besoin, ma mère est tombée enceinte au
moment où ils n'y croyaient plus. Le jour où elle a fait le test,
nous avons bu du champagne et trinqué en levant nos coupes.
Il ne fallait en parler à personne, avant que les trois mois●
670 soient passés, les trois mois où les mères risquent de perdre les
bébés. Moi j'étais sûre que ça allait marcher, je suivais dans mes
encyclopédies la taille de l'embryon, les différentes étapes de
son développement et tout, j'observais les schémas et je faisais
des recherches complémentaires sur Internet. Au bout de
675 quelques semaines, on a pu l'annoncer à tout le monde et on a
commencé à se préparer. Mon père a transféré son bureau dans
le salon, pour libérer la pièce, on a acheté un lit pour le bébé qui
était une fille. Ma mère a sorti les habits de quand j'étais petite,
on les a triés ensemble, on a tout installé, bien plié dans la
680 grande commode laquée. L'été nous sommes partis à la
montagne, je me souviens du ventre de maman, dans son
maillot de bain rouge, au bord de la piscine, de ses cheveux

---

1. **L'utérus** est l'organe interne féminin dans
   lequel se développe le fœtus ; **les ovules**
   sont les cellules reproductrices femelles,
   les spermatozoïdes les cellules mâles.
2. **Fécondation *in vitro*** : technique d'aide
   à la conception consistant à implanter
   un embryon (ovule fécondé en éprouvette)
   dans l'utérus féminin.

● Une grossesse dure neuf mois. Pendant
  les trois premiers mois les risques
  de fausse couche sont importants.

longs abandonnés au vent, de ses siestes à l'ombre du parasol. Quand nous sommes rentrés à Paris, il ne restait plus que deux ou trois semaines avant la naissance. Je trouvais ça incroyable d'imaginer qu'un bébé allait sortir du ventre de maman. Que cela puisse se déclencher comme ça, d'un seul coup, sans prévenir, même si j'avais lu beaucoup de choses dans ses livres de grossesse, même si tout cela pouvait s'expliquer de manière scientifique. Un soir ils sont partis à la maternité. Ils m'ont laissée chez la voisine d'en face pour la nuit, mon père portait la valise que nous avions préparée ensemble, avec les petits pyjamas, les chaussons et tout, ça se voyait qu'ils étaient heureux. Le matin très tôt il a téléphoné, ma sœur était née. Le lendemain j'ai pu aller la voir, elle dormait dans un lit en plastique transparent, monté sur des roulettes, à côté de ma mère.

Je sais qu'on envoie des avions supersoniques et des fusées dans l'espace, qu'on est capable d'identifier un criminel à partir d'un cheveu ou d'une minuscule particule de peau, de créer une tomate qui reste trois semaines au réfrigérateur sans prendre une ride, et qu'on peut faire tenir dans une puce microscopique des milliards d'informations. Mais rien, rien de tout ce qui existe et ne cesse d'évoluer, ne me paraîtra plus incroyable, plus spectaculaire que ça : Thaïs était sortie du ventre de maman.

Thaïs avait une bouche, un nez, des mains, des pieds, des doigts, des ongles. Thaïs ouvrait et fermait les yeux, bâillait, tétait, agitait ses petits bras, et cette mécanique de haute précision avait été fabriquée par mes parents.

710 Parfois quand je suis seule à la maison, je regarde les photos, les premières. Il y a Thaïs dans mes bras, Thaïs endormie sur le sein de ma mère, nous quatre, assis sur le lit de la maternité – celle-ci c'est ma grand-mère qui l'a prise, elle n'est pas très bien cadrée, on voit la chambre en arrière-fond, les murs bleus, 715 les cadeaux, les boîtes de chocolats. Il y a surtout le visage de maman, incroyablement lisse, et son sourire. Quand je fouille dans le petit coffre en bois où les photos sont rangées, j'ai le cœur qui bat très fort, à déchirer ma poitrine. Maman serait folle si elle me surprenait.

720 Au bout de quelques jours, elles sont revenues à la maison. J'aimais bien changer Thaïs, lui donner son bain, essayer de la consoler quand elle pleurait. Je me dépêchais de rentrer de l'école pour les retrouver. Quand elle a commencé à boire au biberon, je m'installais sur le canapé, un coussin calé sous le 725 bras, pour lui donner celui du soir, il fallait faire attention aux bulles d'air et à la vitesse de la tétine, je m'en souviens.

Ces moments ne nous appartiennent plus, ils sont enfermés dans une boîte, enfouis au fond d'un placard, hors de portée. Ces moments sont figés comme sur une carte postale ou un 730 calendrier, les couleurs finiront peut-être par passer, déteindre, ils sont interdits dans la mémoire et dans les mots.

Un dimanche matin j'ai entendu le cri de maman, un cri que je n'oublierai jamais.

Encore aujourd'hui, quand je laisse mon esprit vagabonder, 735 quand je ne surveille pas le chemin de mes pensées, quand ça flotte dans ma tête parce que je m'ennuie, quand autour de moi le silence se prolonge, le cri revient et me déchire le ventre.

J'ai couru dans la chambre, j'ai vu maman qui secouait Thaïs, en hurlant, je ne comprenais pas, elle la serrait contre elle, la secouait
740 de nouveau, l'embrassait, Thaïs avait les yeux fermés, mon père était déjà au téléphone pour appeler le SAMU. Et puis maman s'est laissée glisser sur la moquette, elle s'est recroquevillée sur le bébé, à genoux, elle pleurait en disant non non non. Je me souviens qu'elle était seulement vêtue d'un soutien-gorge et d'une culotte, je
745 me suis dit ce n'est pas une tenue pour recevoir des gens, en même temps il me semblait que quelque chose était en train de se passer, quelque chose d'irrémédiable, les médecins sont arrivés vite, ils ont examiné Thaïs et je sais que maman a vu dans leurs yeux que c'était fini. C'est à ce moment-là que papa a pris conscience que
750 j'étais là, il m'a emmenée à l'écart, son visage était pâle et ses lèvres tremblaient. Il m'a serrée très fort dans ses bras, sans un mot.

[...]

[Après la mort de sa petite sœur, Lou passe 4 ans à Nantes dans un collège pour enfants surdoués puis reprend sa scolarité à Paris.]

755 J'ai fini par revenir pour de bon, j'ai retrouvé Paris, une chambre d'enfant qui ne me ressemble plus, j'ai demandé à mes parents de m'inscrire dans un lycée normal pour élèves normaux. Je voulais que la vie reprenne comme avant, quand tout semblait simple et s'enchaînait sans qu'on y pense, je
760 voulais que plus rien ne nous distingue des autres familles où les parents prononcent plus de quatre mots par jour et où les enfants ne passent pas leur temps à se poser toutes les mauvaises

questions. Parfois je me dis que Thaïs aussi devait être intellectuellement précoce, c'est pour ça qu'elle a lâché l'affaire,
765 quand elle a compris quelle galère● ça allait être, et que contre ça il n'y a rien, pas de remède, pas d'antidote[1]. Je voudrais seulement être comme les autres, j'envie leur aisance, leurs rires, leurs histoires, je suis sûre qu'ils possèdent quelque chose que je n'ai pas, j'ai longtemps cherché dans le dictionnaire un mot qui dirait la facilité, l'insouciance, la confiance et tout, un
770 mot que je collerais dans mon cahier, en lettres capitales, comme une incantation[2].

L'automne est venu et nous essayons de reprendre le cours de notre vie. Mon père a changé de travail, il a fait repeindre
775 les murs de la cuisine et ceux du salon. Ma mère va mieux. C'est ce qu'il répond au téléphone. Oui, oui, Anouk va mieux. Beaucoup mieux. Elle récupère. Petit à petit. Parfois j'ai envie de lui arracher le téléphone des mains et de hurler à toute force non Anouk ne va pas mieux, Anouk est si loin de nous que nous
780 ne pouvons pas lui parler, Anouk nous reconnaît à peine, elle vit depuis quatre ans dans un monde parallèle, inaccessible, un genre de quatrième dimension, et se fout pas mal de savoir si nous sommes vivants.

Quand je rentre chez moi je la trouve assise sur son fauteuil,
785 au milieu du salon. Elle n'allume pas la lumière, du matin jusqu'au soir elle reste là, je le sais, sans bouger, elle déplie une couverture sur ses genoux, elle attend que le temps passe.

● Lâché l'affaire, galère : abandonné et situation très difficile ;
⋮ l'auteur transcrit le langage propre aux adolescents.

1. Antidote : contrepoison.
2. Incantation : parole magique pour opérer un charme.

Quand j'arrive elle se lève, accomplit une succession de gestes
et de déplacements, par habitude ou par automatisme, sort
790 du placard les paquets de biscuits, pose les verres sur la table,
s'assoit près de moi sans rien dire, ramasse la vaisselle, range ce
qui reste, passe un coup d'éponge. Les questions sont toujours
les mêmes, tu as passé une bonne journée, tu as beaucoup de
travail aujourd'hui, tu n'as pas eu froid avec ton blouson, elle
795 écoute les réponses d'une oreille distraite, nous sommes dans
un jeu de rôle, elle est la mère et moi la fille, chacune respecte
son texte et suit les indications.

Plus jamais elle ne pose la main sur moi, plus jamais elle ne
touche mes cheveux, ne caresse ma joue, plus jamais elle ne me
800 prend par le cou ou par la taille, plus jamais elle ne me serre
contre elle.

[No a finalement accepté d'être interviewée...]

[...]

Nous prenons rendez-vous d'une fois sur l'autre, parfois
805 elle vient, parfois elle ne vient pas. J'y pense toute la journée,
j'attends la fin des cours avec impatience, dès que la sonnerie
retentit je me précipite dans le métro, avec toujours cette peur
de ne pas la revoir, cette peur qu'il lui soit arrivé quelque chose.

Elle vient d'avoir dix-huit ans, elle a quitté à la fin du mois
810 d'août un foyer d'urgence dans lequel elle a été accueillie pendant
quelques mois, tant qu'elle était encore mineure, elle vit dans la
rue mais elle n'aime pas qu'on le dise, il y a des mots qu'elle
refuse d'entendre, je fais attention, car si elle se fâche elle ne dit
plus rien, elle se mord la lèvre et regarde par terre. Elle n'aime pas
815 les adultes, elle ne fait pas confiance. Elle boit de la bière, se ronge
les ongles, traîne derrière elle une valise à roulettes qui contient
toute sa vie, elle fume les cigarettes qu'on lui donne, du tabac
roulé quand elle peut en acheter, ferme les yeux pour s'extraire du
monde. Elle dort ici ou là, chez une copine qu'elle a rencontrée en
820 pension et qui travaille au rayon charcuterie du Auchan de la

Porte de Bagnolet, chez un contrôleur SNCF qui l'héberge de temps en temps, elle squatte à droite ou à gauche, au gré de ses rencontres, elle connaît un garçon qui a réussi à récupérer une tente Médecins du Monde et dort dehors, une fois ou deux il l'a

825 recueillie, sans rien lui demander, elle m'a dit si tu passes rue de Charenton, en face du vingt-neuf, tu verras sa tente, c'est son coin. Quand elle ne sait pas où dormir, elle appelle le SAMU social● pour trouver un centre d'accueil d'urgence, mais avant l'hiver c'est difficile car beaucoup sont fermés.

830 Au Relais d'Auvergne, nous avons notre table, un peu à l'écart, nos habitudes et nos silences. Elle boit un demi ou deux, je prends un coca, je connais par cœur les murs jaunis, leur peinture écaillée, les appliques de verre poli, les cadres et leurs images démodées, l'air agacé du serveur, je connais No,

835 sa manière d'être assise, en déséquilibre, ses hésitations et sa pudeur, l'énergie qu'elle dépense pour avoir l'air normal.

On s'assoit l'une en face de l'autre, je vois la fatigue sur son visage, c'est comme un voile gris qui la recouvre, l'enveloppe, et peut-être la protège. Elle a fini par accepter que je prenne

840 des notes. Au début, je n'osais pas poser de questions, mais maintenant je me lance et je relance, je demande quand, pourquoi, comment, elle ne se laisse pas toujours faire, mais parfois ça marche, elle raconte pour de vrai, les yeux baissés,

● Le SAMU est le service d'assistance médicale urgent. Le samu social est un service créé en 1996 pour « Secourir selon la philosophie de la Déclaration universelle des droits de l'homme en réaffirmant les principes de Liberté, d'Égalité, de Fraternité et de Solidarité ». Il prête assistance aux personnes sans abri en détresse.

les mains sous la table, parfois elle sourit. Elle raconte la peur,
845 le froid, l'errance. La violence. Les allers-retours en métro sur
la même ligne, pour tuer le temps, les heures passées dans des
cafés devant une tasse vide, avec le serveur qui revient quatre
fois pour savoir si *Mademoiselle désire autre chose*, les laveries
automatiques parce qu'il y fait chaud et qu'on y est tranquille,
850 les bibliothèques, surtout celle de Montparnasse, les centres
d'accueil de jour, les gares, les jardins publics.

Elle raconte cette vie, sa vie, les heures passées à attendre, et
la peur de la nuit.

Je la quitte le soir sans savoir où elle dort, la plupart du temps elle
855 refuse de me répondre, parfois elle se lève précipitamment parce
que c'est l'heure de la fermeture des portes, elle doit courir à l'autre
bout de Paris pour prendre sa place dans une file d'attente, obtenir
un numéro de rang ou de chambre, se doucher dans une salle d'eau
dégueulassée par les autres et chercher son lit dans un dortoir dont
860 les couvertures sont infestées de puces ou de poux. Parfois elle
ignore où, parce qu'elle n'a pas réussi à joindre le SAMU social
dont le numéro est presque toujours saturé, ou parce qu'ils n'ont
plus de place. Je la laisse repartir, sa valise bringuebalant derrière
elle, dans l'humidité des derniers soirs d'automne.

865 Parfois, je la laisse là, devant une chope vide, je me lève, je me
rassois, je m'attarde, je cherche quelque chose qui pourrait la
réconforter, je ne trouve pas de mots, je n'arrive pas à partir, elle
baisse les yeux, elle ne dit rien.

Et notre silence est chargé de toute l'impuissance du monde,
870 notre silence est comme un retour à l'origine des choses, à leur
vérité.

❧

[…]

Aujourd'hui elle raconte ce temps suspendu, arrêté, les heures passées à marcher pour que le corps ne se refroidisse pas, les haltes dans les Monoprix ou les grands magasins, à traîner entre les rayons, les stratégies pour éviter de se faire repérer, les expulsions plus ou moins violentes des vigiles. Elle me décrit ces endroits invisibles qu'elle a appris à connaître, caves, parkings, entrepôts, bâtiments techniques, chantiers abandonnés, hangars. Elle n'aime pas parler d'elle. Elle le fait à travers la vie des autres, ceux qu'elle croise, ceux qu'elle suit, elle raconte leur dérive et parfois leur violence, elle parle des femmes, elle précise, pas des clochardes, non, pas des timbrées, elle dit note bien ça, Lou, avec tes mots, des femmes normales qui ont perdu leur travail ou qui se sont enfuies de chez elle, des femmes battues ou chassées, qui sont hébergées en centres d'urgence ou vivent dans leur voiture, des femmes qu'on croise sans les voir, sans savoir, logées dans des hôtels miteux, qui font la queue tous les jours pour nourrir leur famille et attendent la réouverture des Restos du Cœur[1].

1. **Restos du Cœur** : association créée en 1985 par l'humoriste Coluche (Michel Colucci 1944-1986) pour aider les personnes démunies en leur distribuant de la nourriture.

890 [...]

Hier elle était à la Soupe Saint-Eustache[1], il y a eu une bagarre entre deux femmes, pour une histoire de mégot qui traînait par terre, la cigarette n'avait été fumée qu'à moitié, elles se sont battues à mort, quand on les a séparées la plus jeune avait une
895 pleine poignée de cheveux dans les mains et l'autre du sang dans la bouche. Pour la première fois la voix de No s'altère, elle se tait, elle a les images dans les yeux et je vois que ça lui fait du mal, elle dit voilà ce qu'on devient, des bêtes, des putains de bêtes.

900 Elle me décrit ses journées, ce qu'elle voit, ce qu'elle entend, j'écoute avec toutes mes oreilles, et j'en ai pas mal, j'ose à peine respirer. C'est un cadeau qu'elle me fait, j'en suis sûre, un cadeau à sa manière, avec cette moue qui ne la quitte pas, cet air de dégoût, et puis les mots durs qu'elle dit parfois, lâche-moi,
905 fous-moi la paix ou encore qu'est-ce que tu crois ? (c'est une question sans en être une, qui revient souvent, comme si elle me disait : à quoi tu crois, en quoi tu crois, est-ce que tu crois en Dieu ?). C'est un cadeau qui n'a pas de prix, un cadeau qui pèse lourd dont j'ai peur de ne pas être digne, un cadeau qui modifie
910 les couleurs du monde, un cadeau qui remet en question toutes les théories.

---

1. **Soupe Saint-Eustache** : soupe populaire installée
devant l'église Saint-Eustache dans le quartier
des Halles à Paris.

C'est un jour de décembre, le ciel est bas et lourd comme dans les poésies, la buée trouble les vitres du café, dehors il pleut des seaux. Mon exposé est dans deux jours, j'ai rempli un
915 cahier tout entier, j'écris à toute vitesse, j'ai peur que ce soit la dernière fois, j'ai peur du moment où je vais la quitter, je sens que quelque chose manque, quelque chose d'important, je ne sais rien de sa famille, ni de ses parents, à chaque fois que j'ai essayé elle a fait semblant de ne pas entendre, d'être trop
920 fatiguée, ou bien elle s'est levée, elle devait rentrer. La seule chose que j'ai réussi à savoir c'est que sa mère vit à Ivry. Elle ne s'est jamais occupée d'elle. No a été placée dans une famille d'accueil quand elle avait douze ans. Elle l'a vue trois ou quatre fois depuis, c'était il y a longtemps. Il paraît que sa mère a un
925 fils. Qu'elle a refait sa vie.

Ce soir il est trop tard, il est trop tard pour tout, voilà ce que je pense, voilà ce qui revient dans ma tête, *il est trop tard pour elle*, et moi je vais rentrer chez moi.

● Allusion au poème « Spleen » de Charles
Baudelaire dont les premiers vers sont : « Quand
le ciel bas et lourd pèse comme un couvercle, / Sur
l'esprit gémissant en proie aux longs ennuis. »

À partir de quand il est trop tard ? Depuis quand il est trop tard ? Depuis le premier jour où je l'ai vue, depuis six mois, deux ans, cinq ans ? Est-ce qu'on peut sortir de là ? Comment peut-on se retrouver à dix-huit ans dehors, sans rien, sans personne ? Sommes-nous de si petites choses, si infiniment petites, que le monde continue de tourner, infiniment grand, et se fout pas mal de savoir où nous dormons ? Voilà les questions auxquelles je prétendais répondre. Mon cahier est plein, j'ai fait des recherches complémentaires sur Internet, j'ai regroupé des articles, découvert des enquêtes, j'ai synthétisé des chiffres, des statistiques, des tendances, mais rien de tout cela n'a de sens, rien de tout cela n'est compréhensible, même avec le plus gros Q.I. du monde, je suis là, le cœur en miettes, sans voix, en face d'elle, je n'ai pas de réponse, je suis là, paralysée, alors qu'il suffirait de la prendre par la main et de lui dire viens chez moi.

Je note deux ou trois trucs sur la dernière page, histoire de me donner une contenance. Elle se tait, il est dix-huit heures. C'est peut-être la dernière fois, et il n'y a rien devant elle, rien de plus, aucun projet, aucun chemin, aucune issue, elle ne sait même pas où elle va dormir ce soir, je vois bien qu'elle y pense aussi, pourtant elle ne dit rien. Je finis par me lever.

— Bon, ben, il faut que j'y aille.

— OK.

— Tu restes là ?

— Ouais, je vais rester un peu.

— Tu veux commander quelque chose d'autre ?

— Non, ça va aller.

– Tu... tu seras encore à la gare, de temps en temps ?

– P'têt, je sais pas.

– On peut se voir mardi, à la même heure ? Comme ça je te raconterai, pour mon exposé.

960 – Ouais, si tu veux.

Je descends dans le métro et j'ai le vertige, c'est une peur bien plus grande qu'un exposé devant toute la classe, une peur qui dépasse celle que j'éprouverais si j'étais condamnée à faire un exposé par semaine jusqu'à la fin de mes jours, une peur qui 965 n'a pas de nom.

[...]
Il y a cette ville invisible, au cœur même de la ville. Cette femme qui dort chaque nuit au même endroit, avec son duvet et ses sacs. À même le trottoir. Ces hommes sous les ponts, dans les gares, ces gens allongés sur des cartons ou recroquevillés sur un banc. Un jour, on commence à les voir. Dans la rue, dans le métro. Pas seulement ceux qui font la manche. Ceux qui se cachent. On repère leur démarche, leur veste déformée, leur pull troué. Un jour on s'attache à une silhouette, à une personne, on pose des questions, on essaie de trouver des raisons, des explications. Et puis on compte. Les autres, des milliers. Comme le symptôme de notre monde malade. *Les choses sont ce qu'elles sont.* Mais moi je crois qu'il faut garder les yeux grands ouverts. Pour commencer.

Voilà, c'était la conclusion. Coup d'œil à ma montre, pas de dépassement. Je dois être à peu près aussi rouge que mon pull, je garde la tête baissée, je n'ose pas regarder Monsieur Marin, je range mes papiers étalés sur le bureau, il va falloir que je

regagne ma place, je ne suis pas sûre d'avoir la force, quand je
985   suis bouleversée j'ai les jambes coupées, pourquoi ils ne disent
rien, pourquoi y a-t-il ce silence tout à coup, sont-ils tous morts,
sont-ils en train de rire et je n'entends plus, suis-je devenue
sourde comme un pot, je n'ose pas relever la tête, si seulement
j'étais équipée d'une fonction *téléportation-immédiate-vers-dix-*
990   *minutes-plus-tard* ça m'arrangerait un peu, ils applaudissent, je
ne rêve pas, j'ai bien entendu, voilà, je regarde, je suis face à
eux, toute la classe, ils applaudissent, même Léa Germain et
Axelle Vernoux, Monsieur Marin sourit.

[...]

J'y suis retournée à l'heure dite, le jour dit. No n'était pas là. Je l'ai attendue devant la brasserie, j'ai cherché dans toute la gare, au kiosque à journaux, devant les guichets, dans les toilettes, j'ai attendu près du poteau devant lequel elle s'asseyait parfois, quand les flics n'étaient pas là, dans la foule j'ai cherché la couleur de son blouson et celle de ses cheveux, je me suis assise dans la salle d'attente des voyageurs, j'ai guetté sa silhouette frêle par la vitre. J'y suis retournée le lendemain, et le surlendemain. Et puis d'autres jours. Un soir, tandis que je repassais pour la dixième fois devant le relais à journaux, la dame rousse m'a fait signe de venir la voir. Je me suis approchée.

– C'est Nolwenn que tu cherches ?

– Oui.

– Ça fait un bon moment que je ne l'ai pas vue. Elle ne vient plus trop par ici ces derniers temps. Qu'est-ce que tu lui veux ?

– Ben rien... on devait boire un verre.

– Elle a dû changer de crèmerie[1]. Mais dis-moi, tes parents, ils savent que t'es là ?

---

1. **Changer de crèmerie** : expression populaire pour dire changer d'endroit.

– Non.

– Tu sais, mon p'tit, tu ne devrais pas traîner avec une fille
1015 comme ça. Moi je l'aime bien, Nolwenn, mais c'est une fille de
la rue, une fille qui vit dans un autre monde que le tien, toi tu
as sans doute des devoirs et des tas d'autres choses à faire et tu
ferais mieux de rentrer chez toi.

Je suis descendue dans le métro, j'ai attendu la rame, je
1020 regardais les affiches et j'avais envie de pleurer, parce que No
n'était plus là, parce que je l'avais laissée partir, parce que je ne
lui avais pas dit merci.

Ma mère est assise dans son fauteuil, mon père n'est pas rentré.
Elle n'a pas allumé la lumière, elle a les yeux fermés, je tente de
1025 me faufiler sans bruit jusqu'à ma chambre mais elle m'appelle.
Je m'approche d'elle, elle sourit. Quand elle me regarde comme
ça, quand elle est si près de moi, une autre image se superpose,
une image nette et transparente en même temps, comme un
hologramme[1], c'est un autre visage, plus doux, plus tranquille,
1030 il n'y a pas ce pli à son front, c'est elle avant, elle me sourit avec
un vrai sourire qui vient du dedans, pas un sourire de façade
qui cache les fissures, pas un sourire silencieux, c'est elle et en
même temps ce n'est plus elle, je ne distingue plus la vraie de
la fausse, bientôt j'oublierai ce visage-là, ma mémoire lâchera
1035 prise, bientôt il n'y aura plus que les photos pour se souvenir.
Ma mère ne me demande pas pourquoi je rentre si tard elle n'a
plus la notion du temps, elle dit ton père a appelé il ne va pas
tarder, je pose mes affaires et je commence à mettre le couvert,

1. **Hologramme** : image en trois dimensions.

elle se lève, me suit dans la cuisine, elle me demande comment
1040 ça va, elle est là, avec moi, et je sais ce que ça lui coûte, c'est un
effort, je réponds que tout va bien, oui, le lycée, ça se passe bien,
j'étais chez ma copine, celle dont je t'ai parlé, j'ai eu 18 à mon
exposé, je ne sais plus si je vous l'ai dit, ça va, oui, les profs sont
sympas, les élèves aussi, dans deux jours on est en vacances.

1045 – Déjà ?

Elle s'étonne, le temps passe si vite, déjà Noël, déjà l'hiver,
déjà demain et rien ne bouge, voilà le problème, en effet, notre
vie est immobile et la Terre continue de tourner.

Quand la porte s'ouvre il y a cet air froid qui vient du dehors,
1050 et d'un seul coup envahit l'entrée, mon père referme aussitôt
derrière lui, voilà, il est au chaud, nous sommes au chaud, je
pense à No, quelque part j'ignore où, sur quel pavé, dans quel
courant d'air.

– Tiens ma puce, je t'ai trouvé un truc qui va t'intéresser.

1055 Mon père me tend un livre, *De l'infiniment petit à l'infiniment
grand*, je l'avais repéré sur Internet et j'en rêvais depuis des
semaines, il pèse des tonnes, il y a plein d'images magnifiques
sur papier glacé et tout, il va falloir que je tienne jusqu'à après
le dîner pour l'engloutir.

1060 En attendant je m'empare de l'emballage de la Moussaka
qui traîne sur la table de la cuisine, j'annonce haut et fort
mon intention de le garder : dorénavant tout emballage de
produit Picard devra m'être remis en main propre. Je prévois
prochainement un test comparatif, ce n'est pas que cela soit

1065 mauvais mais les plats surgelés ont tous plus ou moins le
même goût, moussaka, hachis Parmentier, poêlée méridionale,
brandade et j'en passe, il doit y avoir un ingrédient commun,
quelque chose qui domine. Ma mère rit, c'est suffisamment
rare pour justifier une recherche approfondie.

1070 Dans mon lit je pense à la femme du kiosque à journaux, il y
a cette phrase qui me revient, *c'est une fille qui vit dans un autre
monde que le tien.*

Moi je m'en fous pas mal qu'il y ait plusieurs mondes dans le
même monde et qu'il faille rester dans le sien. Je ne veux pas que
1075 mon monde soit un sous-ensemble A qui ne possède aucune
intersection avec d'autres (B, C, ou D), que mon monde soit une
patate étanche tracée sur une ardoise, un ensemble vide. Moi je
préférerais être ailleurs, suivre une droite qui mènerait dans un
endroit où les mondes communiquent entre eux, se recouvrent,
1080 où les contours sont perméables, où la vie est linéaire, sans
rupture, où les choses ne s'arrêtent pas brutalement, sans
raison, où les moments importants sont livrés avec leur mode
d'emploi (niveau de risque, branchement sur secteur ou pile,
durée prévisible d'autonomie) et les équipements nécessaires
1085 (airbags, GPS, aide au freinage d'urgence[1]).

Parfois il me semble qu'à l'intérieur de moi quelque chose
fait défaut, un fil inversé, une pièce défectueuse[2], une erreur de
fabrication, non pas quelque chose en plus, comme on pourrait
le croire, mais quelque chose qui manque.

---

1. Ces équipements sont des accessoires de sécurité
pour les automobiles modernes.
2. **Défectueuse** : qui a un défaut.

꿩

1090 [...]

C'est le dernier jour des vacances, la queue se déploie sur une cinquantaine de mètres, les portes ne sont pas encore ouvertes, de loin je reconnais son blouson. À mesure que je m'approche, je sens mes jambes faiblir, il faut que je ralentisse, que je prenne
1095 le temps, que je calcule des divisions et des multiplications très compliquées dans ma tête, tout en marchant vers elle, pour être sûre d'avancer, je fais souvent ça, quand j'ai peur de me mettre à pleurer, ou de faire marche arrière, j'ai dix secondes pour trouver trois mots qui commencent par h et finissent
1100 par e, conjuguer le verbe seoir[1] à l'imparfait du subjonctif ou calculer des multiplications invraisemblables avec des tonnes de retenues. Elle me voit. Elle me regarde droit dans les yeux. Sans un geste, sans un sourire, elle se détourne comme si elle ne m'avait pas reconnue. J'arrive à sa hauteur, je découvre son
1105 visage, comme elle a changé, cette amertume à ses lèvres, cet air de défaite, d'abandon. Je m'arrête, elle m'ignore, elle attend, coincée entre deux hommes, elle ne fait pas un pas pour se dégager, elle reste là, derrière le plus gros, le visage enfoui dans

---

1. **Seoir** : verbe rare qui signifie convenir, bien aller.

son écharpe. Les voix se taisent, pendant quelques secondes,
tout le monde me regarde, de bas en haut et de haut en bas.

Je suis bien habillée. Je porte un manteau propre avec une
fermeture éclair qui marche, des chaussures cirées, un sac à
dos de marque, mes cheveux sont lisses et bien coiffés. Dans
les jeux de logique où l'on doit deviner l'intrus, il ne serait pas
difficile de me désigner.

Les conversations reprennent, à voix basse, attentives, je
m'approche d'elle.

Je n'ai pas le temps d'ouvrir la bouche, elle me fait face, son
visage est dur, fermé.

– Qu'est-ce que tu fous là ?

– Je te cherchais...

– Qu'est-ce que tu veux ?

– Je m'inquiétais pour toi.

– Ça va très bien, merci.

– Mais tu...

– Ça va, t'as compris ? Ça va très bien. J'ai pas besoin de toi.

Elle a élevé la voix, une rumeur commence à parcourir la
queue, je perçois seulement des bribes, qu'est-ce qui se passe,
c'est la gamine, qu'est-ce qu'elle veut, je ne peux plus faire un
geste, No me pousse d'un coup sec, je glisse du trottoir, je ne
parviens pas à détacher mes yeux de son visage, elle garde la
main tendue pour m'éloigner.

Je voudrais lui dire que moi j'ai besoin d'elle, que je n'arrive
plus à lire, ni à dormir, qu'elle n'a pas le droit de me laisser
comme ça, même si je sais que c'est le monde à l'envers, de
toute façon le monde tourne à l'envers, il n'y a qu'à regarder
autour de soi, je voudrais lui dire qu'elle me manque, même si
c'est absurde, même si c'est elle qui manque de tout, de tout ce

qu'il faut pour vivre, mais moi aussi je suis toute seule et je suis
1140 venue la chercher.

Les premiers arrivés commencent à entrer dans le bâtiment,
la queue avance vite et je la suis.

– Barre-toi, Lou, je te dis. Tu me fais chier. Tu n'as rien à faire
là. C'est pas ta vie, ça, tu comprends, c'est pas ta vie !

1145 Elle a hurlé les derniers mots, avec une violence incroyable,
je recule sans cesser de la regarder, je finis par faire demi-tour,
je m'éloigne, quelques mètres plus loin je me retourne une
dernière fois, je la vois entrer dans le bâtiment, elle se retourne
aussi, elle s'arrête, on dirait qu'elle pleure, elle ne bouge plus,
1150 les autres la bousculent, la dépassent, j'entends quelqu'un
l'engueuler, elle répond par une injure, crache par terre, un
homme la pousse, elle disparaît dans l'ombre d'un couloir.

Je repars jusqu'à la station de métro, il suffit de suivre la ligne
grise du trottoir, je compte le nombre de poubelles de la ville de
1155 Paris, les vertes d'un côté et les jaunes de l'autre, je crois qu'à ce
moment-là je la déteste, elle et tous les sans-abri de la Terre, ils
n'ont qu'à être plus sympathiques, moins sales, c'est bien fait
pour eux, ils n'ont qu'à faire des efforts pour se rendre aimables
au lieu de picoler sur les bancs et de cracher par terre.

꽃

160 [...]

Il est monté dans le bus par l'arrière, une station après la mienne. Pile en face de moi. Il m'a tendu la joue, je me tenais à la barre, je l'ai lâchée pour m'approcher de lui, malgré le monde autour de nous j'ai perçu le parfum d'adoucissant qui émanait
165 de ses vêtements.

– T'as passé des bonnes vacances, Pépite ?

J'ai fait la moue.

Lucas se tient devant moi avec cet air désinvolte qui le quitte rarement. Pourtant je sais qu'il sait. Il sait que les
170 filles du lycée sont toutes folles de lui, il sait que Monsieur Marin le respecte même s'il passe son temps à lui faire des remarques, il sait combien le temps nous échappe et que le monde ne tourne pas rond. Il sait voir à travers les vitres et le brouillard, dans la couleur pâle des matins, il sait la force
175 et la fragilité, il sait que nous sommes tout et son contraire, il sait combien c'est difficile de grandir. Un jour il m'a dit que j'étais une fée.

Il m'impressionne. Je l'observe tandis que le bus redémarre, on se pousse vers l'arrière, il réclame des précisions sur mon Noël, je cherche ce que je pourrais bien raconter, me contente de lui retourner la question. Il est parti chez ses grands-parents, à la campagne, il hausse les épaules avec un sourire.

J'aimerais lui dire que j'ai perdu No, que je m'inquiète pour elle, je suis sûre qu'il comprendrait. Lui dire que certains soirs je n'ai pas envie de rentrer chez moi, à cause de toute cette tristesse qui colle aux murs, à cause du vide dans les yeux de ma mère, à cause des photos enfermées dans les boîtes, à cause du poisson pané.

– Un soir si tu veux, Pépite, on pourrait aller à la patinoire ?

– Mmmm.

(J'ai vu des patins à glace, chez Go Sport, il y a des tas de lacets à faire passer dans des crochets. Insoluble.)

Nous descendons du bus devant le lycée, les portes ne sont pas encore ouvertes, les élèves se rassemblent en grappe, discutent, s'esclaffent, allument des cigarettes, Lucas connaît tout le monde mais il reste avec moi.

J'essaie de faire bonne figure, de ne pas laisser les idées envahir ma tête, ces idées qui me traversent souvent, quand je vois tout ce qui pourrait se passer, le meilleur et le pire, elles surgissent n'importe quand, dès que mon attention se relâche, c'est comme un filtre optique qui fait voir la vie d'une autre couleur. La vie en mieux ou en catastrophe, ça dépend des fois.

J'essaie de ne pas penser qu'un jour Lucas pourrait m'entourer de ses bras et me serrer contre lui.

205 Je sors par la grande porte, perdue au milieu du flot. Sur le trottoir d'en face, je l'aperçois. Je l'aperçois tout de suite : un point sombre dans la lumière du soir. No m'attend. Elle s'est souvenue du nom de mon lycée et elle est venue. Elle ne traîne pas avec elle son habituel barda, seulement un sac qu'elle porte en bandoulière.

210 No est là, il me suffit de traverser la rue. De loin ça se voit qu'elle est sale, son jean est maculé de traînées noires, ses cheveux collés par petits paquets. Je reste comme ça, plusieurs minutes, immobile, bousculée par les élèves, il y a le bruit des mobylettes, les rires, les éclats de voix, comme un tourbillon autour de moi. Il

215 y a moi. En face d'elle. Quelque chose me retient. Alors je remarque ses yeux gonflés, les traces sombres sur son visage, son incertitude, d'un seul coup je n'ai plus d'amertume, ni de ressentiment, seulement l'envie de la prendre dans mes bras. Je traverse. Je dis viens. Elle me suit jusqu'au Bar Botté●. Les gens

220 nous regardent. Les gens nous regardent parce que No vit dans la rue et ça se voit comme le nez au milieu de la figure.

> ● Le Bar Botté est un café parisien situé
> sur le cours de Vincennes, le lycée dont
> s'est inspiré l'auteur est probablement
> le lycée Hélène Boucher à Paris, situé
> sur ce même cours de Vincennes.

Elle raconte tête baissée, les mains entourant sa tasse, elle cherche la chaleur quitte à se brûler les paumes. Elle dort dans un centre d'hébergement d'urgence du Val-de-Marne où elle a été admise pour quatorze jours. À huit heures trente, chaque matin, elle est dehors. Dehors pour toute une journée. Il faut tuer le temps. Marcher pour ne pas avoir froid. Trouver un endroit abrité pour s'asseoir. Il faut traverser tout Paris pour un repas chaud. Prendre un ticket. Attendre. Repartir. Demander de l'argent à la sortie d'un magasin ou dans le métro. Quand elle a la force. La force de dire s'il vous plaît. Bientôt il faudra trouver un autre lieu d'accueil. C'est sa vie. Aller de foyer en foyer. Tenir le plus longtemps possible. Repousser les échéances. Trouver de quoi manger. Éviter de dormir dans la rue. Chercher du travail, elle a essayé. Les fast-foods, les bars, les restaurants, les supermarchés. Mais sans adresse ou avec celle d'un centre d'hébergement la réponse est toujours la même. Contre ça, elle ne peut rien. Pas d'adresse, pas de boulot. Elle a abandonné. Elle n'a jamais pensé que sa vie deviendrait si merdique, quand elle était petite elle voulait être coiffeuse, faire des shampoings, des couleurs, et puis plus tard avoir un salon de coiffure. Mais elle n'a pas appris, ni ça, ni autre chose, elle n'a rien appris. Elle dit je sais pas ce que je vais faire, tu vois, je sais plus du tout.

Elle se tait, pendant quelques minutes, le regard dans le vague. Je donnerais tout, mes livres, mes encyclopédies, mes vêtements, mon ordinateur, pour qu'elle ait une vraie vie, avec un lit, une maison et des parents pour l'attendre. Je pense à l'égalité, à la fraternité, à tous ces trucs qu'on apprend à l'école et qui n'existent pas. On ne devrait pas faire croire aux gens qu'ils peuvent être égaux ni ici ni ailleurs. Ma mère a raison. C'est la vie qui est injuste et il n'y a rien à ajouter. Ma mère elle sait quelque chose qu'on ne devrait pas savoir. C'est pour ça qu'elle est inapte pour son travail, c'est marqué sur ses papiers de sécurité sociale, elle sait quelque chose qui l'empêche de vivre, quelque chose qu'on devrait savoir seulement quand on est très vieux. On apprend à trouver des inconnues dans les équations, tracer des droites équidistantes et démontrer des théorèmes, mais dans la vraie vie, il n'y a rien à poser, à calculer, à deviner. C'est comme la mort des bébés. C'est du chagrin et puis c'est tout. Un grand chagrin qui ne se dissout pas dans l'eau, ni dans l'air, un genre de composant solide qui résiste à tout.

No me regarde, sa peau est devenue grise et sèche comme celle des autres, à la voir comme ça il me semble qu'elle est arrivée au bout, au bout de ce qu'on peut supporter, au bout de ce qui est humainement acceptable, il me semble qu'elle ne pourra plus jamais se relever, qu'elle ne pourra plus jamais être jolie et propre, elle sourit pourtant, elle dit ça me fait plaisir de te voir.

Je vois sa lèvre trembler, ça dure à peine une seconde, elle baisse les yeux, je prie dans ma tête de toutes mes forces pour qu'elle ne pleure pas, même si je ne crois pas tous les jours en Dieu, parce que si elle se met à pleurer je m'y mets aussi, et quand je commence ça peut durer des heures, c'est comme un barrage qui cède sous la pression de l'eau, un déluge, une catastrophe naturelle, et pleurer de toute façon ça ne sert à rien. Elle racle le fond de sa tasse avec sa petite cuiller pour attraper le sucre, elle se renverse sur sa chaise, elle a repris le dessus, je le vois à la façon dont elle serre la mâchoire, je la connais.

– Alors ton exposé ?

1280   Je lui raconte combien j'ai eu peur, devant toute la classe, ma voix qui tremblait au début et puis après plus du tout, parce que c'était comme si elle avait été avec moi, comme si elle m'avait donné la force, et puis le soulagement, quand ça a été fini, les applaudissements et tout.

1285   – Et puis, Lucas, tu sais, ce garçon dont je t'avais parlé, ça fait au moins deux fois qu'il me propose de venir chez lui après les cours, et puis il veut que je vienne avec lui à la patinoire, mais à chaque fois je me défile, je sais pas trop quoi faire.

[...]

290 Et si No venait chez nous. Et si on décidait d'aller à l'encontre de ce qui se fait ou ne se fait pas, si on décidait que *les choses* peuvent être autrement même si c'est très compliqué et toujours bien plus qu'il n'y paraît. Voilà la solution. La seule. Chez nous elle aurait un lit, une place à table, un placard pour ranger ses 295 affaires, une douche pour se laver. Chez nous elle aurait une adresse. Elle pourrait se remettre à chercher du travail. Depuis tout ce temps la chambre de Thaïs est restée vide. Mon père a fini par donner le lit de bébé, les habits et la commode. Plus tard il y a installé un canapé et une table. Il s'y enferme de 300 temps en temps, quand il a du travail à finir. Ou quand il a besoin d'être seul. Ma mère n'y entre plus, en tout cas jamais en notre présence. Elle n'a touché à rien, mon père s'est occupé de tout. Pour désigner la pièce on ne dit plus la *chambre*, on parle dorénavant du *bureau*. La porte reste fermée.

305 J'attends quelques jours pour me lancer. J'attends le bon moment. Il n'y a pas trente-six façons de présenter les choses.

D'un côté la vérité. Brute. De l'autre, une mise en scène, un stratagème pour faire croire que No n'est pas ce qu'elle est. J'imagine différentes hypothèses : No est la cousine d'une amie de classe, venue de province, elle cherche une place de jeune fille au pair pour poursuivre ses études. No est assistante au lycée et cherche une chambre. No revient d'un long séjour à l'étranger. Ses parents sont des amis de Madame Rivery, ma prof de français. No est la fille du proviseur et son père l'a chassée car elle a échoué à ses examens. Je retourne l'affaire dans tous les sens, à chaque fois je me heurte au même problème : au point où elle en est, No est incapable de jouer un rôle. Un bain chaud et des nouveaux vêtements n'y suffiront pas.

Un soir, je prends mon courage à deux mains, nous sommes à table, pour une fois ma mère ne s'est pas couchée à peine la nuit tombée et dîne avec nous, c'est le moment ou jamais. J'annonce la couleur. J'ai quelque chose d'important à leur demander. Il ne faut pas m'interrompre. Sous aucun prétexte. Il faut me laisser aller au bout. J'ai préparé un argumentaire en trois parties comme Madame Rivery nous l'a enseigné, précédé d'une introduction pour poser le sujet et suivi d'une conclusion à double niveau (il faut poser une question qui ouvre sur un nouveau débat, une nouvelle perspective).

Dans les grandes lignes, le plan est le suivant :

Introduction : j'ai rencontré une jeune fille de dix-huit ans qui vit dans la rue et dans des foyers. Elle a besoin d'aide (je vais à l'essentiel, pas d'ajout, pas de fioritures).

Grand 1 (thèse) : elle pourrait s'installer chez nous, le temps de reprendre des forces, de trouver du travail (j'ai prévu des arguments concrets et des propositions pratiques). Elle dormirait dans le *bureau* et participerait aux tâches ménagères.

Grand 2 (antithèse : on donne soi-même les contre-arguments pour mieux les désintégrer) : Certes, il y a des organismes spécialisés et des assistantes sociales, ce n'est pas forcément à nous de prendre en charge une personne dans cette situation, c'est *plus compliqué qu'il y paraît*, nous ne la connaissons pas, nous ne savons pas à qui nous avons affaire.

Grand 3 (synthèse) : Il y a plus de deux cent mille sans-abri en France et les services sociaux ne peuvent pas faire face. Chaque nuit des milliers de gens dorment dehors. Il fait froid. Et chaque hiver des gens meurent dans la rue.

Conclusion : Qu'est-ce qui nous empêche d'essayer ? De quoi avons-nous peur, pourquoi avons-nous cessé de nous battre ? (Madame Rivery me dit souvent que mes conclusions sont un peu emphatiques[1], je veux bien l'admettre, mais parfois la fin justifie les moyens.)

J'ai écrit ma démonstration sur un cahier et souligné en rouge les points majeurs. Devant le miroir de la salle de bains j'ai répété, les mains calmes et la voix posée.

Nous sommes attablés devant une pizza de chez Picard dont j'ai mis de côté l'emballage, les rideaux sont tirés, la petite lampe du salon nimbe[2] nos visages d'une lumière orangée.

---

1. **Emphatique** : grandiloquent, qui abuse du ton déclamatoire.
2. **Nimber** : entourer d'une auréole de lumière, à la manière de la représentation des saints dans la peinture.

Nous sommes dans un appartement parisien, au cinquième
1360 étage, fenêtres fermées, à l'abri. Je commence à parler et très
vite je perds le fil, j'oublie le plan, je me laisse emporter par le
désir que j'ai de les convaincre, le désir de voir No parmi nous,
assise sur nos chaises, sur notre canapé, buvant dans nos bols
et mangeant dans nos assiettes, je ne sais pas pourquoi je pense
1365 à Boucle d'Or et aux trois ours[1], alors que No a les cheveux noirs
et raides, je pense à cette image du livre que ma mère me lisait
quand j'étais petite, Boucle d'Or a tout cassé, le bol, la chaise
et le lit, et l'image revient sans cesse, j'ai peur de perdre mes
mots alors je parle à toute vitesse, sans rien suivre, je parle
1370 longtemps, je raconte je crois comment j'ai rencontré No, le
peu que je sais d'elle, je parle de son visage, de ses mains, de
sa valise bringuebalante, de son sourire si rare. Ils m'écoutent
jusqu'au bout. Ensuite il y a un silence. Un long long silence.

Et puis la voix de ma mère, encore plus rare que le sourire de
1375 No, sa voix soudain si claire.

– On devrait la rencontrer.

Mon père relève la tête, sidéré. La pizza est froide, je forme
une boule dans ma bouche, imbibée de salive, et je compte
jusqu'à dix avant d'avaler.
1380 Mon père répète après elle, d'accord, on devrait la rencontrer.

Comme quoi *les choses* peuvent être autrement, comme quoi
l'infiniment petit peut devenir grand.

---

1. *Boucle d'Or* : conte anonyme qui, à travers le récit
de l'histoire d'une petite fille arrivant dans une famille
d'ours, aborde la question de la place de l'enfant dans
la famille et la fratrie.

[...]

Mon père et ma mère sont sortis de la cuisine pour nous
accueillir, j'ai fait les présentations, j'avais les doigts de pied tout
contractés à l'intérieur de mes chaussures. Mon père a eu une
hésitation, il a failli lui serrer la main, puis il s'est approché pour
lui faire la bise, No a eu un mouvement de recul, elle essayait de
sourire mais on voyait bien que c'était compliqué.

Nous avons dîné tous les quatre, ma mère avait préparé un
gratin de courgettes, pour la première fois depuis longtemps elle
n'était pas en robe de chambre, elle avait mis son pull à rayures
de toutes les couleurs et son pantalon noir. Ils n'ont pas posé
de questions. Ils se sont comportés comme si tout cela était la
chose la plus naturelle du monde, ma mère est restée avec nous
jusqu'à la fin du repas. Pour la première fois depuis longtemps
il m'a semblé qu'elle était vraiment là, que sa présence n'était
pas une simple figuration[1], elle était là tout entière. Nous avons
parlé de tout et de rien, mon père a évoqué son prochain voyage
en Chine pour son travail et raconté une émission qu'il avait
vue à la télévision sur le développement de Shanghai. No n'en

1. **Figuration** : rôle secondaire qui consiste à apparaître
sans prononcer aucune parole.

avait probablement rien à faire, ni de Shanghai, ni du chien de la gardienne qui passe son temps à déterrer des os imaginaires sur le terre-plein de la cour, ni du relevé des compteurs EDF, mais cela n'avait aucune importance. L'important c'était qu'elle se sente à l'aise, qu'elle n'ait pas le sentiment d'être observée. Et pour une fois il m'a semblé que cela fonctionnait, comme dans les repas de famille qu'on voit dans les publicités pour les plats cuisinés, où les dialogues s'enchaînent sans fausse note, sans temps mort, il y a toujours quelqu'un pour ajouter quelque chose au bon moment, personne n'a l'air fatigué ni accablé de soucis, il n'y a pas de silence.

No doit peser quarante kilos, elle a dix-huit ans et en paraît à peine quinze, ses mains tremblent quand elle porte son verre à sa bouche, ses ongles sont rongés jusqu'au sang, ses cheveux lui tombent dans les yeux, ses gestes sont maladroits. Elle fait des efforts pour tenir debout. Pour tenir assise. Pour tenir tout court. Depuis combien de temps n'a-t-elle pas dîné dans un appartement, sans se presser, sans devoir laisser la place aux suivants, depuis combien de temps n'a-t-elle pas posé sur ses genoux une serviette en tissu et mangé des légumes frais ? Voilà tout ce qui compte. Et le reste peut attendre.

Après le dîner, mon père a déplié le canapé du bureau. Il est allé chercher des draps et une grosse couverture dans le placard de l'entrée. Il est repassé une dernière fois devant nous, s'est adressé à No pour lui dire que son lit était prêt.

Elle a dit merci, elle regardait par terre.

Moi je sais que parfois il vaut mieux rester comme ça, à l'intérieur de soi, refermé. Car il suffit d'un regard pour vaciller[1], il suffit que quelqu'un tende sa main pour qu'on sente soudain combien on est fragile, vulnérable, et que tout s'écroule, comme une pyramide d'allumettes.

Il n'y a pas eu d'interrogatoire, pas de méfiance, pas de doute, pas de marche arrière. Je suis fière de mes parents. Ils n'ont pas eu peur. Ils ont fait ce qu'il y avait à faire.

No est couchée, je referme la porte du bureau, je lui éteins la lumière, c'est une nouvelle vie qui commence pour elle, j'en suis sûre, une vie avec abri, et moi je serai toujours là, à côté d'elle, je ne veux plus jamais qu'elle se sente toute seule, je veux qu'elle se sente avec moi.

---

1. Vaciller : trembler avant de s'effondrer ou,
pour une lumière, s'éteindre.

[...] Lou et No se rendent chez Lucas. [...]

Il y a des tableaux partout, des tapis persans, des meubles anciens, le salon est immense, rien n'a été laissé au hasard, tout est magnifique, pourtant chaque pièce semble avoir été abandonnée, comme un décor de cinéma, comme si tout avait été construit pour de faux. Un soir en rentrant du collège, l'année dernière, Lucas a trouvé la lettre de son père. Pendant des semaines il avait préparé son départ, sans rien dire, et puis un matin il a bouclé sa valise, il a refermé la porte derrière lui, il a laissé ses clés à l'intérieur. Son père a pris l'avion, il n'est jamais revenu. Dans la lettre il lui demandait pardon, il disait que plus tard Lucas comprendrait. Il y a quelques mois sa mère a rencontré un autre homme, Lucas le déteste, il paraît que c'est le genre de type qui ne s'excuse jamais, par principe, et considère que tous les autres sont des cons, plusieurs fois ils ont failli se battre alors sa mère s'est installée là-bas, à Neuilly. Elle téléphone à Lucas et revient de temps en temps pour le week-end. Son père envoie de l'argent et des cartes postales du Brésil. Lucas nous fait la visite, No le suit, elle pose des questions, comment fait-il pour manger, comment peut-il vivre seul dans un si grand appartement, est-ce qu'il n'a jamais eu envie de partir là-bas, à Rio de Janeiro.

Lucas nous montre les photos de son père, à tous les âges, une maquette de bateau enfermée dans une bouteille qu'ils ont fabriquée ensemble, quand il était petit, les estampes[1] japonaises qu'il a laissées, et sa collection de couteaux. Il y en a des dizaines, des grands, des petits, des moyens, des canifs, des poignards, des crans d'arrêt, de tous les pays du Monde, des Laguiole, des Kriss, des Thiers[2], les manches pèsent dans la paume, les lames sont fines. No les sort un par un, les fait danser entre ses doigts, elle caresse le bois, l'ivoire, la corne, l'acier. Je vois bien que Lucas a peur qu'elle se blesse, mais il n'ose rien dire, il la regarde faire, et moi aussi, elle est habile pour dégager les lames, les replier, on dirait qu'elle a fait ça toute sa vie, elle n'a pas peur. Lucas finit par nous proposer un goûter, No remet les couteaux dans leurs boîtes, je n'y ai pas touché.

Nous sommes assis autour de la table de la cuisine, Lucas a sorti les paquets de gâteaux, le chocolat, les verres, je regarde No, ses poignets, la couleur de ses yeux, ses lèvres pâles, ses cheveux noirs, elle est tellement jolie quand elle sourit, malgré le trou à la place de sa dent.

Plus tard nous écoutons des chansons, avachis[3] dans le canapé, la fumée des cigarettes nous enveloppe d'un nuage opaque, le temps s'arrête, il me semble que les guitares nous protègent, que le monde nous appartient.

1. **Estampes** : gravures.
2. **Laguiole, Kriss, Thiers** : marques de couteaux.
   Le Kriss est un couteau malais à lame ondulante.
3. **Avachis** : vautrés.

1485   Sur les conseils de mon père, No est retournée voir l'assistante sociale qui s'occupe d'elle. Elle a entrepris diverses démarches administratives, se rend deux fois par semaine dans un centre d'accueil de jour qui s'occupe de réinsertion pour jeunes femmes en grande difficulté. Là-bas, elle peut téléphoner, faire
1490 des photocopies, utiliser l'ordinateur. Il y a une cafétéria et on lui donne des tickets restaurant[1] pour le midi. Elle a commencé à chercher du travail.

    Mon père lui a fait faire un double des clés, elle va et vient à sa guise, déjeune souvent au Burger King parce qu'ils rendent la
1495 monnaie sur les tickets•, ce qui lui permet d'acheter elle-même son tabac, elle répond à des annonces, pousse la porte des magasins, ne rentre jamais très tard. Elle passe pas mal de temps avec ma mère, elle lui raconte ses recherches, et puis aussi d'autres choses car c'est ma mère qui arrive le mieux à la
1500 faire parler. Parfois on lui pose une question, son visage se

---

1. **Tickets restaurant** : bons d'un certain montant qui permettent de se faire servir un repas.

● En principe les tickets restaurant ne permettent d'acheter que de la nourriture préparée et si le montant est inférieur à celui du ticket, les commerçants ne sont pas tenus de rendre la monnaie. Il y a cependant une certaine tolérance.

ferme, elle fait mine de ne pas avoir entendu, parfois elle se met à raconter, au moment où nous nous y attendons le moins, tandis que ma mère prépare le repas, range la vaisselle, ou quand je fais mes devoirs à côté d'elle, c'est-à-dire quand l'attention ne peut lui être portée que partiellement, quand on peut l'entendre sans la regarder.

Ce soir mon père doit rentrer plus tard, nous sommes toutes les trois dans la cuisine, ma mère épluche des légumes (ce qui en soi est déjà un événement), je feuillette un magazine à côté d'elle. Ma mère pose des questions, pas des questions automatiques préenregistrées sur bande magnétique, des vraies questions avec l'air de quelqu'un qui s'intéresse à la réponse. Ça m'énerve un peu, mais No commence à raconter.

Sa mère s'est fait violer dans une grange quand elle avait quinze ans. Ils étaient quatre. Ils sortaient d'un bar, elle roulait en vélo au bord de la route, ils l'ont obligée à monter dans la voiture. Quand elle a découvert qu'elle était enceinte, il était trop tard pour avorter. Ses parents n'avaient pas assez d'argent pour faire le voyage en Angleterre, là où le délai légal n'était pas encore dépassé. No est née en Normandie. Suzanne a quitté le collège quand son ventre s'est arrondi. Elle n'y est jamais retournée. Elle n'a pas porté plainte pour éviter la honte qui aurait été encore plus grande. Après l'accouchement, elle a trouvé un emploi de femme de ménage dans un hypermarché du coin. Elle n'a jamais pris No dans ses bras. Elle ne pouvait pas la toucher. Jusqu'à l'âge de sept ans, No a été élevée par ses grands-parents. Au début, on les a montrés du doigt, on a chuchoté dans leur dos, les yeux baissés sur leur passage, on a

multiplié les soupirs et prédit le pire. Le vide s'est fait, autour
1530 d'eux, c'est sa grand-mère qui lui a raconté. Elle l'emmenait au
marché, au catéchisme[1], venait la chercher à l'école du village.
Elle la tenait par la main pour traverser la rue, le menton haut et
l'allure fière. Et puis les gens ont oublié. No ne se souvient plus
si elle a toujours su que sa mère était sa mère, en tout cas elle ne
1535 l'appelait pas maman. À table, quand No est devenue une petite
fille, sa mère refusait de s'asseoir à côté d'elle. Elle ne voulait
pas l'avoir en face non plus. Il fallait que No soit loin, dans
l'angle mort. Suzanne ne l'appelait jamais par son prénom, ne
lui adressait pas directement la parole, la désignait de loin en
1540 disant *elle*. Le soir, Suzanne sortait avec des garçons du coin qui
avaient des motos.

Ses grands-parents se sont occupés de No comme de leur
propre fille. Ils ont ressorti du grenier les vêtements et les
jouets d'enfant, lui ont acheté des livres d'images et des jeux
1545 éducatifs. Quand elle parle d'eux sa voix est plus haute, elle
esquisse un sourire, comme si elle écoutait une chanson pleine
de souvenirs, une chanson qui la rendrait fragile. Ils vivaient
dans une ferme, son grand-père cultivait la terre et élevait des
poulets. Quand Suzanne a eu dix-huit ans elle a rencontré un
1550 homme dans une boîte de nuit. Il était plus âgé qu'elle. Sa
femme était morte dans un accident de voiture, elle portait un
enfant qui n'est jamais né. Il travaillait à Choisy-le-Roi dans une
entreprise de sécurité, il gagnait de l'argent. Suzanne était belle,
elle portait des mini-jupes, elle avait de longs cheveux noirs.
1555 Il a proposé de l'emmener à Paris. Ils sont partis l'été suivant.

1. **Catéchisme** : éducation religieuse chrétienne
   dispensée par l'église locale, la paroisse.

No est restée à la ferme. Sa mère n'est jamais revenue la voir.

Quand No est entrée au CP, sa grand-mère est morte. Un matin, elle est montée en haut de l'échelle pour cueillir des pommes, elle n'a pas fait de compote cette année-là, elle est tombée sur le dos, comme un gros sac de bonbons, elle est restée là, par terre dans sa blouse à fleurs. Un filet de sang est sorti de sa bouche. Elle avait les yeux fermés. Il faisait chaud. C'est No qui est allée prévenir la voisine.

Son grand-père n'a pas pu garder No avec lui. Il y avait les poulets et le travail dans les champs. Et un homme seul avec une petite fille, ça ne se faisait pas. Alors No est partie à Choisy-le-Roi rejoindre sa mère et l'homme à la moto. Elle avait sept ans.

D'un coup, elle s'arrête. Ses mains sont posées sur la table, à plat, elle se tait. J'aimerais tellement connaître la suite, mais rien jamais ne doit être brusqué, ma mère l'a compris depuis longtemps, elle ne demande pas.

✿

[...]

1575 Le soir où No nous a annoncé qu'elle avait trouvé du travail,
mon père est descendu acheter une bouteille de champagne.
Il a fallu rincer les coupes en cristal, elles n'avaient pas servi
depuis longtemps, nous avons levé nos verres, nous avons
trinqué à la santé de No, mon père a dit c'est une nouvelle
1580 vie qui commence, j'ai cherché l'émotion sur les visages, No
avait les joues roses, il n'y avait pas besoin d'être spécialiste, je
crois même qu'elle faisait un sacré effort pour ne pas pleurer.
Quand elle nous a donné davantage de détails, mon père a eu
l'air de trouver que ce n'était pas l'idéal mais elle était tellement
1585 contente que personne n'aurait osé gâcher sa joie, ni émettre
une réserve, même minuscule.

Tous les matins, à partir de sept heures, No est femme de
chambre dans un hôtel près de Bastille. Elle termine à seize
heures, mais certains jours elle doit rester plus tard pour
1590 remplacer le garçon du bar quand il a des courses à faire ou des
livraisons. Le patron la déclare pour un mi-temps, le reste est

payé au noir*. Elle a dit à mes parents qu'elle les inviterait au restaurant quand elle recevrait sa première paye, et puis qu'elle partirait, quand elle aurait trouvé un endroit où loger. Ils ont répondu en chœur qu'il n'y avait aucune urgence. Elle doit prendre son temps. S'assurer que le poste lui convient. Ma mère a proposé de lui acheter une ou deux tenues pour son travail, on a encore rigolé comme des folles quand on a cherché dans les catalogues de vente par correspondance, on imaginait No dans des blouses à fleurs en polyamide, il y en avait de toutes les formes et de toutes les couleurs, boutonnées devant ou dans le dos, avec de larges poches, et des tabliers de dentelle, comme dans les films de Louis de Funès[1].

Maintenant No se lève avant nous. Son réveil sonne vers six heures, elle fait le café, avale une tartine et part à pied dans la nuit. À midi elle déjeune d'un sandwich avec le garçon du bar, perchée sur un grand tabouret, mais pas plus d'un quart d'heure, sinon le patron *pète une durit*e[2] (j'ai cherché dans le dictionnaire dès qu'elle a eu le dos tourné). Le soir elle se change avant de quitter l'hôtel, détache ses cheveux, enfile son blouson, emprunte le même chemin en sens inverse et rentre chez nous, épuisée. Elle s'allonge un moment, les jambes surélevées, parfois elle s'endort.

Elle doit faire chaque jour une vingtaine de chambres et toutes les parties communes, salon, hall, couloirs, elle n'a pas

---

1. **Louis de Funès** : acteur comique français (1914-1983).
2. **Péter une durite** : se mettre très en colère (argot). Une durite est un tuyau en caoutchouc qui alimente en eau le radiateur d'une automobile. Lorsqu'elle explose, la voiture se met alors à cracher de la fumée, d'où cette métaphore.

● *Payé au noir* est une expression signifiant que le travail n'est pas déclaré. C'est une pratique frauduleuse qui permet de ne pas verser les taxes et les charges sociales et prive les salariés de leurs droits (à un contrat de travail, aux congés payés, à une protection sociale et à une retraite).

le temps de rêvasser, le patron est toujours sur son dos. Elle n'a jamais vraiment pu nous décrire la clientèle de l'hôtel, un mélange paraît-il, parfois elle évoque des touristes, parfois des hommes en déplacement professionnel. C'est toujours plein. Son patron lui a montré comment trier le linge sale du propre (avec une conception très personnelle de la question), comment replier les serviettes sans les laver quand elles ont servi une fois et remettre à niveau les petits flacons de shampoing. Elle n'a pas le droit de faire de pause, ni de s'asseoir, ni de parler aux clients, un jour il l'a surprise en train de fumer une cigarette au rez-de-chaussée, il a hurlé que c'était le premier et le dernier avertissement.

[...]

꩜

À Choisy-le-Roi, No vivait avec sa mère et l'homme à la moto,
1630 dans un F3 du centre-ville. Il partait tôt le matin et rentrait tard le
soir. Il démarchait des entreprises pour vendre des serrures, des
portes blindées et des systèmes d'alarme. Il roulait en voiture
de fonction, portait des costumes chics et une gourmette en
or au poignet. No dit qu'elle se souvient parfaitement de lui,
1635 elle pourrait le reconnaître dans la rue. Il était gentil avec elle.
Il lui offrait des cadeaux, s'intéressait à son travail scolaire, lui
apprenait à faire du vélo. Souvent il se disputait avec sa mère
à propos d'elle. Suzanne la faisait dîner dans la cuisine, posait
son assiette devant elle, comme un chien, et refermait la porte.
1640 Un quart d'heure plus tard elle revenait, criait si No n'avait pas
terminé. No regardait l'horloge accrochée au mur, suivait des
yeux la petite trotteuse, pour passer le temps. No essayait de
passer inaperçue, elle faisait la vaisselle, le ménage, les courses,
se réfugiait dans sa chambre dès que possible, y passait des
1645 heures entières, silencieuse. Quand l'homme jouait avec elle,
la mère faisait la gueule. Les disputes sont devenues de plus
en plus fréquentes, à travers le mur No entendait les cris et les
éclats de voix, la mère se plaignait que l'homme rentrait tard,
l'accusait de voir une autre femme. Parfois No comprenait qu'ils

1650 parlaient d'elle, il lui reprochait de ne pas s'occuper de sa fille,
il disait tu la fous en l'air, et la mère pleurait, de l'autre côté du
mur. L'homme rentrait de plus en plus tard et la mère tournait
en rond comme une bête. No l'observait, dans l'entrebâillement
de la porte, elle aurait voulu la prendre dans ses bras, la consoler,
1655 lui demander pardon. Une fois elle s'est approchée d'elle et sa
mère l'a repoussée tellement fort que No s'est ouvert l'arcade
sourcilière sur le coin de la table, elle en garde la cicatrice.

Un soir de l'année suivante, l'homme est parti. En rentrant de
son travail, il a joué avec No, il lui a lu une histoire et l'a bordée
1660 dans son lit. Plus tard dans la nuit, No a entendu du bruit, elle
s'est levée, elle a surpris l'homme dans l'entrée, il tenait un gros
sac poubelle rempli d'affaires, il portait un long manteau gris.
Il a posé le sac pour caresser ses cheveux.

Il a refermé la porte derrière lui.

1665 Quelques jours plus tard une assistante sociale est venue. Elle
a posé des questions à No, a rencontré sa maîtresse, parlé aux
voisins, a dit qu'elle reviendrait. No ne se souvient plus si sa mère a
commencé à boire avant ou après le départ de l'homme. Elle achetait
de la bière, par packs de huit, et du vin de table en bouteille dont
1670 elle remplissait un caddie à roulettes. No l'aidait à le hisser dans
l'escalier. Elle a trouvé un emploi de caissière dans un supermarché
du coin, elle y allait à pied, commençait à boire dès qu'elle rentrait
de son travail. Le soir, elle s'endormait devant la télé, tout habillée,
No éteignait le poste, la couvrait, lui enlevait ses chaussures.

1675 Plus tard elles ont déménagé à Ivry, dans une HLM, là où sa
mère vit toujours. Elle a perdu son travail. No restait souvent
avec elle, au lieu d'aller à l'école, pour l'aider à se lever, ouvrir

les rideaux, préparer ses repas. Sa mère ne lui parlait pas, elle faisait des signes avec les mains ou avec la tête, pour dire apporte-moi ci ou ça, oui, non, jamais merci. À l'école No restait en retrait, se cachait derrière les poteaux de la cour, ne jouait pas avec les autres, ne faisait pas ses devoirs. En classe, elle ne levait jamais la main, ne répondait pas quand on l'appelait. Un jour elle est arrivée avec la lèvre fendue et des ecchymoses sur tout le corps. Elle était tombée dans l'escalier, s'était cassé deux doigts et n'avait reçu aucun soin. L'assistante sociale a fait un signalement à la DDASS.

À l'âge de douze ans, No a été placée dans une famille d'accueil. Monsieur et Madame Langlois tenaient une station-service sur la départementale, à l'entrée de Colombelles. Ils habitaient une maison neuve, possédaient deux voitures, une télévision couleur avec écran géant, un magnétoscope et un robot mixeur dernière génération. No ajoute toujours ce genre de détails, quand elle raconte quelque chose, avant le reste. Ils avaient trois enfants qui avaient quitté la maison et s'étaient portés candidats comme famille d'accueil. Ils étaient gentils. No a vécu chez eux plusieurs années, son grand-père venait lui rendre visite un après-midi par mois. Monsieur et Madame Langlois lui achetaient les vêtements dont elle avait besoin, lui donnaient de l'argent de poche, s'inquiétaient de ses mauvais résultats scolaires. Quand elle est entrée au collège, elle a commencé à fumer, à traîner avec des garçons au café. Elle rentrait tard, passait des heures devant la télévision, refusait de se coucher. Elle avait peur de la nuit.

1705 Après plusieurs fugues, on l'a envoyée dans un internat éducatif, pas très loin de là. Son grand-père continuait de venir, parfois elle retournait à la ferme pour les petites vacances.

C'est à l'internat qu'elle a rencontré Loïc. Il était un peu plus âgé qu'elle et plaisait beaucoup aux filles. Ils jouaient 1710 aux cartes après les cours, se racontaient leur vie et faisaient le mur la nuit pour guetter les étoiles filantes. C'est là-bas aussi qu'elle a rencontré Geneviève, la fille qui travaille chez Auchan, elles sont devenues amies tout de suite. Les parents de Geneviève étaient morts quelques mois plus tôt dans un 1715 incendie, elle piquait des crises de nerfs en classe et cassait les vitres, personne ne pouvait l'approcher. On l'appelait *la sauvage*, elle était capable d'arracher les rideaux et de les réduire en morceaux. Un week-end sur deux Geneviève rejoignait ses grands-parents près de Saint-Pierre-sur-Dives. 1720 Une ou deux fois elle a invité No chez eux, elles ont pris le train ensemble, la mamie de Geneviève les attendait à la gare. No aimait bien cette maison, ses murs blancs, ses plafonds hauts, elle se sentait en sécurité.

Geneviève, elle avait la rage, la rage de s'en sortir. C'est No 1725 qui le dit. Geneviève, quand elle a cessé de tout casser et de se cogner la tête contre les murs, elle a décroché son BEP et elle est partie vivre à Paris. No a recommencé à fuguer.

Nous avons entendu la clé dans la serrure, mon père est entré dans la cuisine, No s'est interrompue. Quand elle parle avec 1730 ma mère, elle fait attention, elle dit moins de gros mots. Je vois bien comment ma mère lui répond. À dix-huit ans on est adulte,

ça se sent à la manière dont les gens s'adressent à vous, avec
une forme d'égard, de distance, pas comme on s'adresse à un
enfant, ce n'est pas seulement une question de contenu mais
1735 aussi de forme, une façon de se mettre à égalité, c'est comme
ça que ma mère parle à No, sur un ton particulier, et j'avoue
que ça me pique à l'intérieur, comme des petites aiguilles qu'on
enfoncerait dans mon cœur.

Moi quand j'avais trois ou quatre ans je croyais que l'âge
1740 s'inversait. Qu'à mesure que je grandirais, mes parents
deviendraient petits. Je m'imaginais déjà debout dans le salon,
les sourcils froncés et l'index levé, dire non non non avec une
grosse voix, vous avez mangé assez de Nutella.

❧

[...]

1745   Au lycée, j'ai retrouvé Lucas, il m'attendait devant l'entrée, nous avions un devoir de géographie sur table, il n'avait rien révisé. Je lui ai laissé voir ma copie, il n'y a pas jeté un œil. Il ne triche pas, n'invente pas, il dessine des personnages dans les marges d'une feuille qui reste vide, j'aime leurs cheveux en
1750 bataille, leurs yeux immenses, leurs habits merveilleux.

    Dans la queue de la cantine j'ai pensé à ma mère, à la mobilité de son visage et de ses mains, à sa voix qui n'est plus un murmure. Peu importe qu'il y ait ou non une explication, une relation de cause à effet. Elle va mieux, elle est en train de retrouver le goût
1755 de la parole et de la compagnie, et rien d'autre ne doit compter.

    En sortant du lycée Lucas m'a offert un coca au Bar Botté, il trouvait que j'avais l'air triste. Il m'a raconté les potins[1] du lycée (il est au courant de tout parce qu'il connaît tout le monde), il a essayé de me tirer les vers du nez[2], mais je n'arrivais pas à parler
1760 parce que tout était emmêlé dans ma tête et je ne savais pas par quoi commencer.

---

1. **Potins** : rumeurs, racontars.
2. **Tirer les vers du nez** : obtenir d'elle des confidences.

– Tu sais, Pépite, tout le monde a ses secrets. Et certains doivent rester au fond, là où on les a planqués. Moi, mon secret je peux te le dire, c'est que quand tu seras grande je t'emmènerai quelque part où la musique est si belle qu'on danse dans la rue.

Je ne peux pas dire l'effet que ça m'a fait, ni exactement où ça se passait, quelque part en plein milieu du plexus[1], quelque chose qui empêchait de respirer, pendant plusieurs secondes je n'ai pas pu le regarder, je percevais le point d'impact et la chaleur qui montait à mon cou.

On est restés comme ça, sans rien dire, et puis j'ai demandé :

– Est-ce que tu crois qu'il y a des parents qui n'aiment pas leurs enfants ?

Avec son père à l'autre bout du monde et sa mère déguisée en courant d'air, ce n'était pas très malin. Souvent je regrette qu'on ne puisse pas effacer les mots dans l'air, comme sur un papier, qu'il n'existe pas un stylo spécial qu'on agiterait au-dessus de soi pour retrancher les paroles maladroites avant qu'elles puissent être entendues.

Il a allumé une cigarette, il a regardé au loin par la vitrine. Et puis il a souri.

– Je sais pas, Pépite. Je crois pas. Je crois que c'est toujours plus compliqué que ça.

---

1. **Plexus solaire** : entrelacement de nerfs au-dessus du sternum, donc partie très sensible du corps.

[...]

1785   Contrairement à la plupart des gens, j'aime bien les dimanches quand il n'y a rien à faire. Nous sommes assises dans la cuisine, No et moi, ses cheveux lui tombent dans les yeux, dehors le ciel est pâle et les arbres sont nus. Elle dit : il faut que j'aille voir ma mère.

1790   – Pour quoi faire ?

   –. Il faut que j'y aille.

Je frappe à la porte de mes parents, ils dorment encore. Je m'approche du lit, je chuchote à l'oreille de mon père : on voudrait aller aux puces de Montreuil. No ne veut pas que je
1795   dise la vérité. Il se lève, propose de nous accompagner, je le décourage en quelques mots, il devrait plutôt se reposer, c'est direct en métro, si on prend par Oberkampf. Dans le couloir il hésite, nous regarde toutes les deux, l'une après l'autre, j'affiche un air raisonnable et je souris.

1800   Nous prenons le métro jusqu'à Gare d'Austerlitz, et puis le RER jusqu'à Ivry, No a l'air tendue, elle se mord la lèvre, je lui demande à plusieurs reprises si elle est sûre de vouloir y aller, sûre que c'est le bon moment. Elle a sa mine butée, le blouson fermé jusqu'au menton, les mains enfouies dans les manches, les cheveux dans les yeux. Quand nous sortons de la gare je m'approche du plan, j'adore repérer la flèche qui indique *Vous êtes ici*, localiser le rond rouge au milieu des rues et des carrefours, préciser mon emplacement à l'aide du quadrillage, c'est comme à la bataille navale, H4, D3, touché, coulé, pour un peu on croirait que le monde entier est là : affiché devant soi.

Je vois bien comme elle tremble, je lui pose la question une dernière fois.

– T'es sûre que tu veux y aller ?

– Oui.

– T'es sûre qu'elle habite toujours ici ?

– Oui.

– Comment tu le sais ?

– L'autre jour j'ai téléphoné, c'est elle qui a répondu. J'ai dit je voudrais parler à Suzanne Pivet, elle a dit c'est moi, j'ai raccroché.

Il n'est pas encore midi, nous entrons dans la cité, en bas de l'immeuble elle me montre la fenêtre qui était celle de sa chambre, les rideaux sont fermés. Nous montons l'escalier doucement, je sens mes jambes se dérober sous moi, mon souffle coupé. No sonne une première fois. Puis une deuxième. Un pas traînant se dirige vers la porte, le judas s'obscurcit, pendant quelques secondes nous retenons notre souffle, No finit par dire c'est moi, Nolwenn. Nous entendons une voix d'enfant qui vient de loin, des chuchotements, et puis de nouveau le silence. De l'autre côté on peut sentir une présence muette, attentive. Les minutes passent. Alors No se met à

donner des grands coups de pied dans la porte, et des coups de poing aussi, mon cœur bat à toute vitesse, j'ai peur que les voisins appellent la police, elle tape de toutes ses forces, elle
1835 hurle c'est moi, ouvre, mais rien ne se passe, alors au bout d'un moment je la tire par la manche, j'essaie de lui parler, d'attraper ses mains, son visage, elle finit par me suivre, je l'entraîne vers l'escalier, nous descendons deux étages et là, d'un seul coup, elle se laisse glisser par terre, elle est si pâle
1840 que j'ai peur qu'elle s'évanouisse, elle respire fort et tout son corps tremble, même à travers ses deux blousons on voit bien que c'est trop, trop de chagrin, elle continue de taper dans le mur, sa main commence à saigner, je m'assois à côté d'elle et je la prends dans mes bras.

1845 — No, écoute-moi, ta mère, elle a pas la force de te voir. Peut-être qu'elle aimerait bien, mais elle peut pas.

— Elle en a rien à foutre, Lou, tu comprends, elle en a rien à foutre.

— Mais non, je suis sûre que non...

1850 Elle ne bouge plus. Il faut qu'on s'en aille d'ici.

— Tu sais, les histoires entre les parents et les enfants, c'est toujours plus compliqué. On est ensemble, toi et moi, hein ? Oui ou non ? C'est toi qui l'as dit. Viens avec moi. Allez ! Lève-toi, on s'en va d'ici.

1855 Nous descendons les derniers étages, je la tiens par le poignet. Dans la rue le soleil projette notre ombre sur le sol, elle se retourne vers l'immeuble, à la fenêtre nous apercevons un visage d'enfant, aussitôt disparu, nous marchons jusqu'à la gare, les rues sont désertes, au loin il me semble entendre la
1860 rumeur d'un marché.

❧

[...]

[*Lou et ses parents laissent No seule à la maison car ils vont passer quelques jours chez la tante Sylvie pour la réconforter du départ de son mari. Lou s'inquiète pour No.*]

Ma tante Sylvie avait son chignon tout de travers. Pour une fois elle n'a fait aucune réflexion à ma mère, elle a dû comprendre d'un seul coup qu'on ne peut pas toujours avoir l'air d'aller bien, assurer la cuisine, le ménage, le repassage, la conversation et tout, d'ailleurs elle avait perdu son sourire-de-toute-circonstance et oublié de mettre son rouge à lèvres impeccable qui ne bouge pas de la journée. Franchement, ça m'a fait de la peine de la voir comme ça. Elle n'arrivait même plus à crier sur mes cousins qui en profitent bien, il y a un fouillis sans précédent dans leur chambre et ils répondent à peine quand elle les appelle.

Comme convenu, No a téléphoné les deux premiers jours. Et puis les deux derniers, on n'a plus eu de nouvelles. Mon père a essayé d'appeler à la maison, ça ne répondait jamais, ni le matin, ni le soir, ni même la nuit. Il a contacté la voisine d'en dessous, elle a écouté à la porte, elle n'a rien entendu. Il a décidé de ne pas s'affoler, on avait prévu de rentrer le jeudi, on rentrerait le jeudi. Moi ça m'a paru interminable, je n'avais même pas le cœur à jouer avec mes cousins qui ont pourtant des tas d'idées pour entreprendre des chantiers dans le jardin, des tunnels, des systèmes d'irrigation, des parcours champêtres, des trucs incroyables qu'on ne peut pas faire à Paris. Je suis restée enfermée à lire des romans d'amour, ma tante en a toute une collection, *Le courage d'aimer*, *Lune de miel à Hawaï*, *La belle et le pirate*, *L'ombre de Célia* et j'en passe. J'ai accepté une ou deux balades, participé à l'épluchage des légumes et aux parties de Trivial Pursuit[1], histoire de faire acte de présence. Mon père et ma mère se sont beaucoup occupés de ma tante, ils ont passé des heures à discuter, on aurait dit un conseil de guerre.

Quand je suis montée dans la voiture j'ai poussé un gros soupir de soulagement, et puis la petite boule est revenue dans mon ventre, pendant tout le trajet du retour elle n'a fait que grandir, et grandir encore, je guettais les panneaux qui indiquent la distance pour Paris, on n'avançait pas, on se traînait alors que moi j'en étais sûre : on était dans une course contre la montre. La plupart des gens disent après coup qu'ils avaient un mauvais pressentiment. Une fois qu'il s'avère qu'ils avaient raison. Mais moi j'avais un vrai mauvais pressentiment, un pressentiment d'*avant*.

Mon père a mis des disques de musique classique dans le lecteur CD, ça m'a énervée parce qu'il écoute toujours des trucs tristes avec des voix limpides qui vous font voir à quel point le monde est en désordre. Ma mère s'est endormie, elle avait posé sa main sur sa cuisse. Depuis qu'elle va mieux ils se

1. **Trivial Pursuit** : jeu de société consistant à répondre à des questions de culture générale dans différents domaines.

rapprochent, je le vois bien, ils s'embrassent dans la cuisine et
ils rigolent tous les deux avec un air de grande connivence[1].

910   Moi j'avais peur. Peur que No soit partie. Peur d'être toute
seule, comme avant. J'ai fini par m'endormir, à cause des arbres
qui défilent à toute vitesse comme une guirlande sans lumières.
Quand je me suis réveillée nous étions sur le périphérique, il
faisait très chaud dans la voiture, j'ai regardé ma montre, il était
915   bientôt vingt heures, No devait être à la maison. Mon père avait
essayé d'appeler le matin même, elle n'avait pas répondu.

Le périphérique était bloqué, nous avons roulé au pas, par
la vitre j'ai vu les campements de SDF sur les talus, sous les
ponts, j'ai découvert les tentes, les tôles, les baraquements, je
920   n'avais jamais vu ça, je ne savais pas que ça existait, là, juste au
bord, mon père et ma mère regardaient droit devant eux, j'ai
pensé des gens vivent là, dans le bruit des moteurs, la crasse
et la pollution, au milieu de nulle part, des gens vivent là jour
et nuit, ici, en France, Porte d'Orléans ou Porte d'Italie, depuis
925   quand ? Mon père ne savait pas au juste. Depuis deux ou trois
ans, les campements se sont multipliés, il y en a partout, tout
autour, surtout à l'est de Paris. J'ai pensé c'est ainsi que sont
les choses. Les choses contre lesquelles on ne peut rien. On est
capable d'ériger des gratte-ciel de six cents mètres de haut, de
930   construire des hôtels sous-marins et des îles artificielles en
forme de palmiers, on est capable d'inventer des matériaux
de construction « intelligents » qui absorbent les polluants
atmosphériques organiques et inorganiques, on est capable de
créer des aspirateurs autonomes et des lampes qui s'allument
935   toutes seules quand on rentre chez soi. On est capable de laisser
des gens vivre au bord du périphérique.

1. **Connivence** : complicité.

C'est ma mère qui a ouvert la porte, nous sommes entrés dans l'appartement, tout était normal à première vue, les rideaux tirés, les objets à leur place, rien n'avait disparu. La chambre de No était ouverte, le lit défait, ses affaires éparpillées. J'ai ouvert le placard pour vérifier que la valise était toujours là. C'était déjà ça. Alors j'ai vu les bouteilles d'alcool renversées par terre, quatre ou cinq, mon père était derrière moi, c'était trop tard pour les cacher. Il y avait de la vodka, du whisky et des plaquettes de médicaments vides.

Alors j'ai pensé aux adverbes et aux conjonctions de coordination qui indiquent une rupture dans le temps *(soudain, tout à coup)*, une opposition *(néanmoins, en revanche, par contre, cependant)* ou une concession *(alors que, même si, quand bien même)*, je n'ai plus pensé qu'à ça, j'ai cherché à les énumérer dans ma tête, à en faire l'inventaire, je ne pouvais rien dire, rien du tout, parce que ça se brouillait autour de moi, les murs et la lumière.

Alors j'ai pensé que la grammaire a tout prévu, les désenchantements, les défaites et les emmerdements en général.

La nuit quand on ne dort pas les soucis se multiplient, ils enflent, s'amplifient, à mesure que l'heure avance les lendemains s'obscurcissent, le pire rejoint l'évidence, plus rien ne paraît possible, surmontable, plus rien ne paraît tranquille. L'insomnie[1] est la face sombre de l'imagination. Je connais ces heures noires et secrètes. Au matin on se réveille engourdi, les scénarios catastrophes sont devenus extravagants[2], la journée effacera leur souvenir, on se lève, on se lave et on se dit qu'on va y arriver. Mais parfois la nuit annonce la couleur, parfois la nuit révèle la seule vérité : le temps passe et *les choses* ne seront plus jamais ce qu'elles ont été.

No est rentrée au petit matin, je dormais en surface, j'avais laissé la porte de ma chambre ouverte pour ne pas la manquer. J'ai entendu la clé dans la serrure, le bruit était léger, très doux, il s'est d'abord infiltré dans mon rêve, j'ai vu ma mère dans ma chambre, elle portait la chemise de nuit qu'elle mettait à la maternité quand Thaïs est née, ouverte sur le devant,

1. **Insomnie** : impossibilité de dormir lorsqu'on
le souhaite.
2. **Extravagants** : étranges et loufoques.

ses pieds étaient nus et blancs dans l'obscurité, je me suis
1975 réveillée en sursaut, j'ai sauté du lit et me suis avancée dans
le couloir, ma main glissait le long du mur pour me guider,
dans l'entrebâillement de la porte j'ai vu No ôter ses chaussures,
elle s'est allongée tout habillée, sans même prendre la peine
d'enlever son jean. Je me suis approchée, j'ai entendu qu'elle
1980 pleurait, c'était comme un sanglot de rage et d'impuissance,
une note à la fois aiguë et rauque, insupportable, une note qui
ne pouvait naître que dans le silence, parce qu'elle se croyait
seule. Sur la pointe des pieds, j'ai fait marche arrière. Je suis
restée debout, derrière ma porte, j'avais froid, je ne pouvais
1985 plus bouger, j'ai vu mon père entrer dans la chambre de No, j'ai
entendu sa voix pendant une heure, douce et ferme, c'était trop
loin pour que je puisse comprendre, et la voix de No, encore
plus basse.

Je me suis levée tôt, No dormait encore, elle avait rendez-vous
1990 en fin de matinée avec l'assistante sociale, elle l'avait noté depuis
des semaines sur l'ardoise magique à côté du frigo. C'était son
jour de congé. J'ai retrouvé mon père dans la cuisine, devant
son café, j'ai versé le lait dans mon bol, attrapé les céréales, je
me suis assise en face de lui, je regardais autour de moi, ce
1995 n'était pas le moment de poursuivre mon expérience sur la
capacité d'absorption des différentes marques d'éponge ni
d'entamer un nouveau test sur la puissance des aimants des
portes du placard. C'était le moment de sauver ce qui pouvait
l'être. Mon père s'est approché.

2000   – Tu sais quelque chose, Lou ?

– Non.

– Tu l'as entendue rentrer ?

– Oui.

– Les bouteilles, c'est la première fois ?

2005   – Oui.

– Elle a des soucis à son travail ?

– Oui.

– Elle t'en a parlé ?

– Un peu. Pas vraiment.

2010   Il y a des jours où l'on sent bien que les mots peuvent vous emmener sur une mauvaise pente et vous faire dire des trucs qu'il vaut mieux taire.

– Elle continue d'aller à son travail ?

– Je crois.

2015   – Tu sais, Lou, si ça ne se passe pas bien, si No ne respecte pas notre vie à nous, si maman et moi on se dit que ce n'est pas bien pour toi, que ça te met en danger, elle ne pourra pas rester. C'est ce que je lui ai dit.

– ...

2020   – Tu comprends ?

– Oui.

Moi je voyais l'heure qui tournait et No qui ne se réveillait pas alors qu'elle avait son rendez-vous avec l'assistante sociale. Je voyais le moment où mon père allait lever les yeux vers la
2025 pendule, où il se dirait voilà, c'est bien la preuve que ça ne va plus, que ça dérape, qu'on ne peut plus compter sur elle. Je me suis levée, j'ai dit je vais la réveiller, c'est elle qui me l'a demandé.

J'ai avancé jusqu'au lit, il y avait cette odeur que je n'arrivais
2030 pas à définir, une odeur d'alcool ou de médicament, j'ai marché
sans le vouloir sur les affaires qui traînaient par terre, quand
mes yeux ont commencé à s'habituer à l'obscurité j'ai vu qu'elle
s'était enroulée dans le couvre-lit. Je l'ai secouée doucement,
et puis plus fort, il a fallu beaucoup de temps pour qu'elle
2035 ouvre les yeux. Je l'ai aidée à changer de tee-shirt et à enfiler
un pull, j'ai entendu mon père claquer la porte d'entrée. Je suis
retournée dans la cuisine pour faire du café. J'avais toute une
journée devant moi. J'aurais bien appelé Lucas mais il était parti
pour toutes les vacances chez sa grand-mère.

2040 No a fini par se lever, elle avait raté l'heure du rendez-vous. J'ai
pris un chiffon pour effacer l'ardoise, j'ai mis la radio à cause
du silence. Plus tard elle s'est enfermée pendant deux heures
pour prendre un bain, on n'entendait rien, seulement de temps
à autre le bruit de l'eau chaude, ma mère a fini par frapper à la
2045 porte pour savoir si tout allait bien.

Vers midi je l'ai retrouvée dans sa chambre, j'ai essayé de lui
parler, mais elle ne semblait pas m'entendre, j'aurais voulu la
secouer de toutes mes forces, au lieu de ça je suis restée en face
d'elle, sans rien dire, son regard était vide.

2050 Alors j'ai pensé au regard de maman après la mort de Thaïs,
comme il se posait sur les objets et les gens, un regard mort, j'ai
pensé à tous les regards morts de la Terre, des millions, privés
d'éclat, de lumière, des regards égarés qui ne reflètent rien
d'autre que la complexité du monde, un monde saturé de sons
2055 et d'images, et pourtant si démuni.

❧

[...]

Dans les livres il y a des chapitres pour bien séparer les moments, pour montrer que le temps passe ou que la situation évolue, et même parfois des parties avec des titres chargés de promesses, *La rencontre*, *L'espoir*, *La chute*, comme des tableaux. Mais dans la vie il n'y a rien, pas de titre, pas de pancarte, pas de panneau, rien qui indique *attention danger*, *éboulements fréquents* ou *désillusion imminente*. Dans la vie on est tout seul avec son costume, et tant pis s'il est tout déchiré.

J'aurais fait n'importe quoi pour que No reste chez nous. Je voulais qu'elle fasse partie de notre famille, qu'elle ait son bol, sa chaise, son lit, à la bonne taille, je voulais les dimanches aux couleurs d'hiver, le parfum de la soupe échappé de la cuisine. Je voulais que notre vie ressemble à celle des autres. Je voulais que chacun ait sa place à table, son heure pour la salle de bains, son rôle dans l'organisation domestique, qu'il n'y ait plus qu'à laisser filer le temps.

Je croyais que l'on pouvait enrayer le cours des *choses*, échapper au programme. Je croyais que la vie pouvait être autrement. Je croyais qu'aider quelqu'un ça voulait dire tout partager, même ce qu'on ne peut pas comprendre, même le plus sombre. La vérité c'est que je ne suis qu'une *madame-je-sais-tout* (c'est mon père qui le dit quand il est en colère), un ordinateur en plastique minable qu'on fabrique pour les enfants avec des jeux, des 2080 devinettes, des parcours fléchés et une voix débile qui donne la bonne réponse. La vérité c'est que je n'arrive pas à faire mes lacets et que je suis équipée de fonctionnalités merdiques qui ne servent à rien. La vérité c'est que *les choses sont ce qu'elles sont.* La réalité reprend toujours le dessus et l'illusion s'éloigne sans 2085 qu'on s'en rende compte. La réalité a toujours le dernier mot. C'est Monsieur Marin qui a raison, il ne faut pas rêver. Il ne faut pas espérer changer le monde car le monde est bien plus fort que nous.

Mon père est parti à son travail, ma mère est sortie faire des 2090 courses, j'imagine que No n'a pas dû hésiter longtemps. Qu'est-ce qu'ils croyaient ? Qu'elle allait attendre patiemment une place dans un quelconque centre de soin ou de réinsertion ? Qu'il suffisait de lui expliquer le problème, en détachant bien les syllabes, non tu ne peux pas rester chez nous, nous ne 2095 sommes plus en mesure de nous occuper de toi, nous allons donc reprendre le cours de notre vie, merci d'être venue et à bientôt ?

Quand je suis rentrée elle n'était plus là. J'ai regardé la pièce vide, elle avait fait le lit, passé l'aspirateur, chaque objet était à 2100 sa place, comme si elle avait tout noté, consigné, comme si elle savait qu'un jour tout devrait être remis en ordre. J'ai regardé le tapis marocain sur lequel elle aimait s'allonger, la lampe qu'elle laissait allumée toute la nuit, j'ai pensé à sa valise à roulettes,

pleine à craquer, bringuebalant sur le trottoir, j'ai pensé à la nuit
tombée, aux rues désertes, j'ai fermé les yeux.

Elle a laissé les vêtements que ma mère lui avait prêtés, pliés
avec soin sur la table. Elle a vidé la pharmacie, c'est mon père
qui me l'a dit, elle a pris tout ce qui restait, les somnifères et les
tranquillisants.

Sur mon bureau elle a laissé la photo d'elle quand elle était
petite, glissée dans une enveloppe sale, j'ai regardé autour si
elle n'avait pas écrit un mot, il n'y avait rien, rien d'autre que ses
yeux qui regardaient l'objectif, qui me regardaient.

❧

No a sonné à la porte, Lucas était tout seul, il regardait la télé.
Elle tenait sa valise d'une main, un ou deux sacs de l'autre, son blouson était ouvert, elle ne portait rien sous son pull, on voyait la blancheur de sa peau, les veines de son cou, il a attrapé ses affaires et l'a laissée entrer. Elle s'est appuyée sur le guéridon pour avancer, elle tenait à peine debout, il l'a emmenée jusqu'à la chambre de sa mère, lui a enlevé son jean et ses chaussures, il a rabattu la couette et a éteint la lumière. Il m'a téléphoné avec une voix de gangster, j'ai tout de suite compris.

Sa mère était venue quelques jours plus tôt, elle avait rempli le réfrigérateur, récupéré quelques vêtements, elle avait laissé un nouveau chèque et elle était repartie. Ça nous laissait du temps.
J'y suis allée le lendemain. No s'est levée quand elle a entendu ma voix, elle est venue vers moi, elle m'a prise dans ses bras, nous n'avons rien dit, pas un mot, nous sommes restées comme ça, j'ignore laquelle de nous deux soutenait l'autre, laquelle était la plus fragile. No a défait sa valise dans la chambre, elle a étalé les affaires à même le sol : des fringues récupérées au vestiaire des associations ou données par Geneviève, une trousse de maquillage, un livre d'enfant offert par sa grand-mère, sa mini-

jupe rouge. Sur la table de nuit elle a posé le gros cendrier du
salon, elle a retourné les cadres photos, elle a fermé les rideaux
de la chambre et ne les a plus jamais rouverts.

À plusieurs reprises mes parents m'ont demandé si j'avais de
ses nouvelles, j'ai pris mon air triste et j'ai répondu non.

Nous allons nous occuper d'elle. Nous ne dirons rien à
personne. Nous garderons ce secret pour nous tout seuls, parce
que nous en avons la force.

꧁

[...]

Au lycée nous parlons d'elle à voix basse, nous avons des codes pour évaluer l'état de la situation, des sourires complices et des airs entendus. Un peu plus on se croirait pendant la guerre, quand les Justes cachaient des enfants juifs. Nous sommes des résistants. J'adore la tête de Lucas quand il arrive le matin et ce petit signe de tête qu'il m'adresse de loin, pour me dire ça va. Il s'occupe de tout, avec son air de caïd, descend au supermarché, nettoie la cuisine, range derrière elle, éteint la lumière une fois qu'elle s'est endormie. La femme de ménage vient une fois par semaine, il faut planquer les affaires de No dans un placard, faire le lit, aérer la chambre, éliminer toute trace de sa présence. Nous sommes parfaitement organisés. Nous avons prévu ce qu'il faut répondre si sa mère téléphone, nous avons imaginé des scénarios d'urgence et des explications adaptées, au cas où elle débarquerait sans crier gare, au cas où mes parents se mettraient en tête de venir me chercher, au cas où Madame Garrige découvrirait le pot aux roses. Nous sommes armés de prétextes et d'arguments.

Photo du film No et moi de Zabou Breitman, 2009.

Il y a des jours où No se lève avant notre retour, elle regarde la télé en nous attendant, sourit quand elle nous voit. Des jours où elle danse, debout sur le canapé, où tout paraît si simple, puisqu'elle est là. Il y a des jours où on peut à peine lui adresser la parole, des jours où elle n'ouvre la bouche que pour dire putain, chier et merde, des jours où elle donne des coups de pied dans les chaises et les fauteuils, des jours où on a envie de lui dire si t'es pas contente rentre chez toi. Le problème c'est qu'un chez-soi, elle n'en a pas. Le problème c'est qu'elle est unique, parce que je l'ai apprivoisée. Et je suis sûre que Lucas l'aime aussi. Même si parfois il me dit qu'il en a marre, ou bien tout ça pour quoi. Même si parfois il dit on est pas assez forts, Lou, on ne va pas y arriver.

Un soir j'accompagne No jusqu'à l'hôtel, il fait nuit, elle décide de me payer un verre, pour tous ceux que je lui ai offerts, nous entrons dans un café. Je la regarde avaler coup sur coup trois vodkas, ça me troue le ventre et je n'ose rien dire. Je ne sais pas quoi dire.

Un autre soir je marche avec elle, pas loin de Bastille, un homme nous interpelle, vous n'auriez pas une petite pièce s'il vous plaît, il est assis, le dos appuyé contre la devanture d'une boutique laissée à l'abandon, No jette un œil, nous passons devant lui sans nous arrêter. Je la pousse du coude, c'est Momo, ton copain de la gare d'Austerlitz ! Elle s'arrête, hésite quelques secondes, fait demi-tour, s'approche de lui, elle dit Salut Momo et lui tend un billet de vingt euros. Momo se lève, se tient devant elle, droit comme un i, il la regarde de bas en haut et de haut en bas, il ne prend pas le billet, il crache par terre, il se rassoit. Je sais bien à quoi elle pense, tandis que nous reprenons notre marche, elle n'est plus de ce monde et elle n'est pas du nôtre non plus, elle n'est ni dehors ni dedans, elle est entre les deux, là où il n'y a rien.

Un autre jour elle vient de se lever, Lucas est parti faire des courses, nous sommes toutes les deux dans le grand salon, son cou est couvert de traces rouges, elle prétend que son écharpe s'est coincée dans un escalier roulant. Je ne sais pas dire mon œil, et encore moins me fâcher. Je ne sais plus lui poser des questions en rafale, comme avant, et tenir bon, jusqu'à ce qu'elle réponde. Je vois bien qu'elle est contente de me voir, elle se lève dès que j'arrive, dès qu'elle m'entend. Je vois bien qu'elle a besoin de moi. Les rares fois où je n'ai pas pu venir parce que c'était trop risqué, elle a paniqué. C'est Lucas qui m'a raconté.

Elle fait des économies. Dans une enveloppe kraft, elle glisse les billets, un par un. Un jour, quand il y en aura assez, elle ira rejoindre Loïc en Irlande, c'est ce qu'elle m'a dit. Elle ne veut pas que j'en parle à Lucas. Ni de l'enveloppe, ni de Loïc, ni de l'Irlande, rien. J'ai promis avec la main tendue comme quand j'étais petite et que je jurais sur la tête de ma mère. Je n'ai jamais osé regarder dans l'enveloppe. C'est toujours quand Lucas n'est pas là qu'elle me parle de Loïc. Elle me raconte leurs frasques[1] quand ils étaient à l'internat, les ruses pour avoir du rab[2] à la cantine, les parties de cartes, les virées à la nuit tombante.

Ils s'aimaient. C'est ce qu'elle m'a dit.

1. **Frasques** : farces, mauvais tours.
2. **Rab** : supplément de nourriture.

2215 Ils se racontaient leurs histoires, leurs rêves, ils voulaient partir tous les deux, très loin, ils fumaient des cigarettes et buvaient du café dans la salle commune, les murs gris étaient recouverts d'affiches de films américains. Ils parlaient à voix basse pendant des heures, les gobelets de plastique restaient 2220 là, après leur départ, avec au fond le sucre séché. Avant d'être admis à l'internat, Loïc avait braqué une boulangerie, piqué le sac d'une vieille dame, il avait été placé dans un centre fermé pour délinquants[1]. Il savait jouer au poker, il sortait des billets froissés de sa poche, pariait gros contre rien, il avait appris à 2225 No, à Geneviève et à d'autres, ils jouaient tard dans la nuit, bien après l'extinction des feux, dans le silence des dortoirs. Elle savait quand il était maître du jeu, quand il bluffait, quand il trichait, parfois elle le prenait en flagrant délit, elle jetait ses cartes sur la table, quittait la partie, alors il courait derrière elle, 2230 la rattrapait, prenait son visage entre ses mains et l'embrassait. Geneviève disait vous êtes faits pour être ensemble, tous les deux.

Souvent il y a des questions que j'aimerais poser à No, sur l'amour et tout, mais je vois bien que ce n'est plus le moment.

2235 Quand Loïc a été majeur, il a quitté l'internat. Le dernier jour il a annoncé à No qu'il partait vivre en Irlande pour chercher du travail et changer de décor. Il lui a dit qu'il lui écrirait, dès qu'il serait installé, et qu'il l'attendrait. Il avait promis. Geneviève est partie la même année pour faire son BEP. No avait dix-sept ans. 2240 L'année suivante, elle a recommencé à fuguer. Un soir à Paris elle a rencontré un homme dans un bar, il lui a offert à boire,

---

1. **Délinquants** : personnes ayant commis un délit (acte illégal moins grave qu'un crime). Les délinquants mineurs sont placés dans des « centres fermés » qui sont à mi-chemin entre l'école et la prison.

elle a avalé les verres les uns après les autres, en le regardant droit dans les yeux, elle voulait se brûler à l'intérieur, elle avait ri, ri et pleuré jusqu'à ce qu'elle tombe de sa chaise, au milieu du café. Les pompiers étaient venus, et puis la police, c'est comme ça qu'elle s'est retrouvée dans un service d'accueil d'urgence pour mineurs, dans le quatorzième arrondissement, quelques semaines ou quelques mois avant que je la rencontre. Les lettres de Loïc elle les a cachées quelque part, dans un endroit qu'elle seule connaît. Des dizaines de lettres.

Quand elle se lève et qu'elle n'a plus la force, quand elle ne veut pas manger parce qu'elle a mal au cœur, je m'approche d'elle et je lui dis tout bas, pense à Loïc, là-bas, il t'attend.

※

[...]

2255 Devant le cours d'anglais je retrouve Lucas, je n'ai pas le temps de poser la question : No n'est pas rentrée. Il a laissé la clé sous le paillasson. Il dit qu'elle va mal, elle boit en cachette, elle pue l'alcool à plein nez, elle fait n'importe quoi, n'importe quoi, il parle vite, et fort, il ne fait plus attention, on doit l'entendre de 2260 l'autre bout du couloir, il dit nous n'allons pas y arriver, Lou, il faut que tu comprennes, on ne peut pas la laisser dans cet état, elle prend des trucs, on ne peut plus lui parler, on ne peut pas se battre contre ça...

– À moi elle me parle.

2265 Lucas me regarde, il a l'air de me prendre pour une folle, il entre dans la salle, je m'assois à côté de lui.

– Tu ne te rends pas compte, Pépite, tu ne veux pas te rendre compte.

[...]

꙳

2270 – Monsieur Muller, levez-vous et comptez jusqu'à 20.

Ce matin Lucas est en vrac, ça se voit à ses yeux tout rétrécis, ses cheveux chiffonnés, son air de ne pas y être. Il soupire avec ostentation[1], se lève au ralenti, il commence à compter.

– Un, deux, trois,...

2275 – STOP !... C'est votre note, monsieur Muller : trois sur vingt. Le devoir était annoncé depuis deux semaines, votre moyenne pour le deuxième trimestre est de cinq et demi, je vais demander trois jours de renvoi à Madame le Proviseur. Si vous souhaitez tripler votre seconde, c'est bien parti. Vous pouvez disposer.

2280 Lucas range ses affaires. Pour la première fois il a l'air humilié. Il ne proteste pas, il ne fait rien tomber, avant de quitter la classe il se retourne vers moi, dans ses yeux c'est comme s'il me disait aide-moi, ou ne me laisse pas, mais moi je fais la fière sur ma chaise, le dos bien droit, la tête haute, et l'air concentré comme

2285 dans *Questions pour un champion*[2]. Si j'étais équipée d'une fonction *verrouillage automatique des portes*, ça m'arrangerait un peu.

1. **Ostentation** : de manière démonstrative.
2. *Questions pour un champion* : jeu télévisé diffusé
   depuis 1988 qui met en concurrence quatre
   candidats devant répondre à des questions de culture
   générale et qui connaît un record de longévité pour
   ce genre d'émissions.

Il va aller à la soirée de Léa. Il va y aller sans moi. J'ai bien essayé d'imaginer le décor, et moi au milieu. J'ai bien essayé de m'imaginer au cœur de la fête, avec les spots, la musique, les terminales et tout. J'ai
2290 bien essayé de trouver des images qui avaient l'air authentiques, moi en train de danser au milieu des autres, moi en train de discuter avec Axelle, un verre à la main, moi assise sur un canapé en train de rigoler. Mais ça ne fonctionnait pas. Ce n'est pas possible, tout simplement. C'est inconcevable. C'est comme essayer de se représenter une
2295 limace au milieu du Salon International des libellules.

Dans la cour je le cherche des yeux, il parle avec François Gaillard, il fait des grands gestes, de loin je vois qu'il me sourit et je ne peux pas m'empêcher de sourire aussi, même si je suis fâchée, parce que je n'ai pas de carapace comme les tortues ni
2300 de coquille comme les escargots. Je suis une minuscule limace en Converse. Toute nue.

À la sortie du lycée Léa et Axelle parlent fort, elles sont avec Jade Lebrun et Anna Delattre, des filles très belles qui sont en terminale, je comprends tout de suite qu'elles parlent de Lucas,
2305 elles ne m'ont pas vue, je m'arrange pour rester cachée derrière le poteau, je tends l'oreille.

– Ce matin il était à la brasserie du boulevard avec une fille super bizarre, ils buvaient un café.

– C'était qui la fille ?

2310 – Je sais pas. C'était pas une fille du lycée. Elle avait pas l'air bien dans ses pompes, je peux te dire, si t'avais vu la tronche de cadavre, elle pleurait et lui il l'engueulait à mort.

Lucas me rejoint. Elles s'arrêtent aussitôt. Nous partons tous les deux vers le métro. Je ne dis rien. Je regarde mes chaussures,
2315 les lignes du trottoir, je compte les mégots.

– Pépite, tu devrais venir avec moi samedi, chez Léa, ça te changerait les idées.

– J'peux pas.

– Pourquoi ?

2320 – Mes parents veulent pas.

– Tu leur as demandé ?

– Ben oui, je leur ai demandé, ils veulent pas. Ils trouvent que je suis trop jeune.

– C'est dommage.

2325 Tu parles. Il s'en fout. Il a sa vie. Chacun sa vie. Finalement, c'est No qui a raison. Il ne faut pas tout mélanger. Il y a des *choses* qui ne se mélangent pas. Il a dix-sept ans. Il n'a pas peur qu'on le regarde, il n'a pas peur d'être ridicule, il n'a pas peur de parler aux gens, ni aux filles, il n'a pas peur de danser, de mal se fondre dans le décor, 2330 il sait combien il est beau, et grand, et fort. Et moi ça m'énerve.

On continue de marcher en silence. Je n'ai plus envie de lui parler. Je dois quand même passer chez lui, à cause de No. Quand nous arrivons, elle est prête à partir pour son travail. Je lui propose de l'accompagner, de loin je dis au revoir à Lucas. 2335 Nous prenons l'escalier pour descendre parce qu'elle a mal au cœur dans l'ascenseur. D'ailleurs elle a mal au cœur tout court, ça se voit, elle a le cœur blessé.

Lorsque nous sommes dans la rue elle sort de son sac une boîte en carton. Elle me la tend.

2340 – Tiens, c'est pour toi.

J'ouvre et je découvre une paire de Converse rouge, celles dont je rêvais. Il y a des moments où c'est vraiment compliqué de ne

pas se mettre à pleurer. Si je pouvais trouver quelque chose à compter, là tout de suite, à portée, ça m'arrangerait bien. Mais il
2345 n'y a rien qui me vient, que des larmes dans mes yeux. Elle m'a acheté une paire de Converse qui coûtent au moins cinquante-six euros. Des rouges comme je voulais.

— Ben merci. Fallait pas. Faut garder tes sous pour toi, pour ton voyage...

2350 — T'inquiète pas pour ça.

Je marche à côté d'elle. Je cherche un kleenex au fond de ma poche, même un vieux, je ne trouve rien.

— Lucas, il veut que tu partes ?

— Non, non, t'inquiète pas. Tout va bien.

2355 — Il t'a rien dit ?

— Non, non, ça va aller. T'en fais pas. Ça va aller. Faut que j'y aille, là. Rentre chez toi, je vais y aller toute seule.

Je lève la tête et je découvre le panneau d'affichage sous lequel nous sommes arrêtées. C'est une publicité pour un parfum, une
2360 femme marche dans la rue, décidée, dynamique, un grand sac en cuir sur l'épaule, ses cheveux volent dans le vent, elle porte un manteau de fourrure, derrière elle on devine une ville au crépuscule, la façade d'un grand hôtel, les lumières scintillent, un homme est là aussi, il se retourne sur elle, subjugué.

2365 Comment ça a commencé, cette différence entre les affiches et la réalité ? Est-ce la vie qui s'est éloignée des affiches ou les affiches qui se sont désolidarisées de la vie ? Depuis quand ? Qu'est-ce qui ne va pas ?

Je laisse No repartir, un sac en plastique à la main, elle tourne le
2370 coin de la rue, rien ne brille autour d'elle, tout est sombre et gris.

Mendiant assis sur un banc, *gravure de Rembrandt, 1630.*

[Sortis au théâtre, les parents de Lou l'ont autorisée à passer la soirée chez Lucas. Au moment où ils viennent la chercher, Lou tarde à descendre car elle ne veut pas laisser No qui se sent très mal.]

2375 Avant de rencontrer No, je croyais que la violence était dans les cris, les coups, la guerre et le sang. Maintenant je sais que la violence est aussi dans le silence, qu'elle est parfois invisible à l'œil nu. La violence est ce temps qui recouvre les blessures, l'enchaînement irréductible des jours, cet impossible retour en
2380 arrière. La violence est ce qui nous échappe, elle se tait, ne se montre pas, la violence est ce qui ne trouve pas d'explication, ce qui à jamais restera opaque.

Ils m'attendaient depuis vingt minutes, juste en bas de l'immeuble, j'ai ouvert la portière, je me suis installée à l'arrière,
2385 le parfum de ma mère flottait dans la voiture, ses cheveux lisses entouraient ses épaules. Ils m'avaient appelée trois fois d'en bas avant que je descende, ils s'impatientaient. Je n'avais

pas envie de parler. Je n'avais pas envie de leur demander s'ils avaient aimé la pièce ou passé une bonne soirée. L'image de
2390 No était collée à ma rétine. No assise par terre, le sang dans sa bouche. Et Lucas en superposition, tapant du poing contre le mur. Mon père a garé la voiture dans le parking, nous avons pris l'ascenseur, il était plus de minuit. Il voulait me parler. Je l'ai suivi dans le salon, ma mère s'est dirigée vers la salle de
2395 bains.

– Qu'est-ce qui se passe, Lou ?

– Rien.

– Si. Il se passe quelque chose. Si tu voyais ta tête, tu ne dirais pas rien.

2400 – ...

– Pourquoi vous êtes toujours fourrés chez Lucas ? Pourquoi tu n'invites jamais tes amis à la maison ? Pourquoi tu ne veux pas que je monte te chercher ? Pourquoi tu nous fais attendre vingt minutes alors que je t'ai appelée pour te prévenir qu'on
2405 partait ? Qu'est-ce qui se passe, Lou ? Avant, on y arrivait pas mal, tous les deux, on se racontait des choses, on se parlait. Qu'est-ce qui ne va pas ?

– ...

– Est-ce que No est chez Lucas ?

2410 Là, je ne peux pas m'empêcher de relever la tête. Merde. Mon père est trop fort. On avait pourtant blindé le truc.

– Réponds-moi, Lou, est-ce que No est chez Lucas ?

– Oui.

– Ses parents l'ont recueillie ?

2415 – Oui... enfin... non. Ses parents ne sont pas là.

– Ses parents ne sont pas là ?

Il y a un silence de quelques secondes, mon père prend la mesure de l'information. Depuis tout ce temps je vais chez Lucas, depuis tout ce temps nous sommes livrés à nous-mêmes, dans ce grand appartement, sans l'ombre de l'ombre d'un parent, depuis tout ce temps je mens par omission[1]. Depuis tout ce temps ils sont occupés ailleurs. Il hésite entre le reproche et l'ouragan, il respire un grand coup.

— Ses parents sont où ?

— Son père est parti vivre au Brésil et sa mère habite à Neuilly, elle revient des fois le week-end.

— No est chez lui depuis qu'elle est partie ?

— Oui.

— Pourquoi tu nous as rien dit ?

— Parce que j'avais peur que tu l'envoies dans un centre.

Mon père est furieux. Furieux et fatigué.

Il m'écoute et j'essaie d'expliquer. Elle ne veut pas aller dans un centre parce que c'est sale, parce qu'on les jette à huit heures du matin, parce qu'il faut dormir d'un œil pour ne pas se faire dépouiller, parce qu'elle a besoin de laisser ses affaires quelque part, d'avoir un endroit où se poser. Elle ne veut pas se soigner parce qu'il n'y aura personne pour l'attendre, quand elle sortira, personne pour s'occuper d'elle, parce qu'elle ne croit plus à rien, parce qu'elle est toute seule. Je pleure et je continue de parler, je dis n'importe quoi, de toute façon vous vous en foutez pas mal, de No comme de moi, vous avez jeté le manche, vous avez renoncé, vous essayez juste de maintenir le décor, de peindre par-dessus les fissures, mais moi non, moi je ne renonce pas,

1. **Omission** : mensonge qui consiste à taire quelque chose.

moi je me bats. Mon père me regarde avec toutes ces larmes
2445 sur ma figure et cette morve qui me sort du nez, il me regarde
comme si j'étais devenue folle et moi je continue, je ne peux
plus m'arrêter, vous vous en foutez pas mal parce que vous êtes
bien au chaud, parce que ça vous dérange d'avoir quelqu'un qui
picole chez vous, quelqu'un qui ne va pas bien, parce que ça fait
2450 désordre dans le tableau, parce que vous préférez regarder le
catalogue Ikéa.

– Tu dis n'importe quoi, Lou. C'est injuste et tu le sais. Va te
coucher.

Ma mère sort de la salle de bains, elle a dû m'entendre crier,
2455 elle nous rejoint dans le salon, enveloppée dans un peignoir en
soie, elle a coiffé ses cheveux, mon père lui annonce la couleur
en quelques mots, je dois dire qu'il fait preuve d'une grande
capacité de synthèse[1], que Madame Rivery ne manquerait pas
de souligner. Ma mère se tait.

2460 Je voudrais qu'elle me prenne dans ses bras, qu'elle caresse
mon front, mes cheveux, qu'elle me serre contre elle jusqu'à
l'apaisement des sanglots. Comme avant. Je voudrais qu'elle me
dise ne t'en fais pas ou bien maintenant je suis là, je voudrais
qu'elle embrasse mes yeux mouillés.

2465 Mais ma mère reste debout, à l'entrée du salon, les bras le
long du corps.

Alors je pense que la violence est là aussi, dans ce geste
impossible qui va d'elle vers moi, ce geste à jamais suspendu.

---

1. **Capacité de synthèse** : aptitude à corriger des choses
complexes de manière simple et condensée.

J'ai tout de suite reconnu sa voix au téléphone, il était dix
heures du matin, elle m'a suppliée de venir, elle a répété s'il
te plaît, plusieurs fois, il fallait qu'elle parte, la mère de Lucas
savait quelque chose, elle allait débarquer, vérifier, il fallait que
je vienne, maintenant. Elle ne pouvait pas y arriver toute seule.
Elle a répété ça plusieurs fois, je ne peux pas y arriver toute
seule.

Le moment était venu que nous redoutions tant. Le moment
où No serait obligée de faire ses bagages, une nouvelle fois.
Il était dix heures et la ligne s'était brisée, le point de rupture
était là, visible. Il était dix heures et j'allais partir, partir avec
No. J'ai cherché dans le placard le sac de sport que j'utilise
pour les vacances, je l'ai ouvert sur le lit. J'y ai déposé quelques
vêtements, j'ai attrapé ma brosse à dents, mon dentifrice, les
ai glissés dans ma trousse de toilette, avec quelques boules
de coton rose et une lotion rafraîchissante que ma mère m'a
achetée. J'avais du mal à respirer.

Mes parents étaient sortis de bonne heure pour faire le
marché. J'allais partir sans les voir, j'allais partir comme une
voleuse, j'avais la gorge serrée. J'allais partir parce qu'il n'y avait
pas d'autre solution, parce que je ne pouvais pas laisser No,

2490 l'abandonner. J'ai fait mon lit, j'ai bien tiré le drap du dessous et lissé la couette, tapoté l'oreiller. J'ai plié ma chemise de nuit, je l'ai posée dans le sac, sur le dessus. Dans la cuisine j'ai trouvé quelques paquets de gâteaux, je les ai ajoutés, ainsi qu'un rouleau de Sopalin, je me suis assise devant une feuille, j'ai levé
2495 le stylo, j'ai cherché les mots qui convenaient, les mots adéquats, ne vous inquiétez pas, ne prévenez pas la police, j'ai choisi une autre vie, je dois aller au bout, au bout des *choses*, veuillez m'excuser, ne m'en voulez pas, l'heure est venue, adieu, votre fille qui vous aime, mais tout me semblait dérisoire, ridicule,
2500 les mots étaient en dessous du moment, de sa gravité, les mots ne pouvaient dire ni la nécessité ni la peur. J'ai refermé le bloc sans avoir rien écrit. J'ai enfilé ma parka d'hiver et tiré la porte derrière moi. Sur le palier j'ai eu une seconde d'hésitation, mon cœur battait si vite, une seconde comme une éternité, mais
2505 c'était trop tard, le sac était à mes pieds et j'avais laissé ma clé à l'intérieur.

[...]

Nous nous sommes retrouvées dans la rue, No et moi, le froid était glacial, je tenais la valise d'une main et le sac de l'autre,
2510 il n'y avait personne autour. J'ai pensé je ne reviendrai plus jamais chez moi, je suis dehors, avec No, pour toute la vie. J'ai pensé voilà comment *les choses* basculent, exactement, sans préavis[1], sans pancarte, voilà comment *les choses* s'arrêtent, et ne reviennent plus jamais. Je suis dehors, avec No.
2515 [...]

---

1. **Préavis** : avertissement préalable.

– On va partir en Irlande. Je viens avec toi.

No s'est tournée vers moi, elle avait le nez rouge, le bonnet enfoncé jusqu'aux yeux, elle n'a pas répondu.

– Demain on ira prendre le train à Saint-Lazare, pour aller jusqu'à Cherbourg, soit c'est direct, soit il faut changer à Caen. À Cherbourg on cherchera le port, on achètera les billets, il y a un départ tous les deux jours, si j'avais su j'aurais regardé les dates, mais bon, c'est pas grave, on attendra. Et du port de Rosslare[1] il y a des trains jusqu'à Wexford[2].

Elle a soufflé sur ses doigts pour les réchauffer, elle m'a regardée longtemps, j'ai bien vu qu'elle était sur le point de pleurer.

– Tu veux que je vienne avec toi, oui ou non ?

– Oui.

– Tu veux qu'on parte demain ?

– Oui.

– Tu as assez d'argent ?

– T'inquiète pas pour ça, je t'ai dit.

– Il y a dix-huit heures de ferry, tu me promets que tu vomiras pas pendant tout le trajet ?

1. **Rosslare** : port d'entrée en Irlande lorsqu'on arrive de France en bateau.
2. **Wexford** : ville côtière irlandaise, peu éloignée de Rosslare.

‍ꕤ

[...]

Le vent s'engouffrait dans la gare, nous nous sommes avancées sous le panneau d'affichage pour lire les horaires, le prochain train pour Cherbourg partait deux heures plus tard. Nous avons cherché la salle d'attente pour poser les affaires, nous sommes assises sur les sièges en plastique le plus loin possible de la porte, elle a roulé une cigarette, elle m'a dit je vais prendre les billets, attends-moi là.

Je ne sais pas comment je n'ai pas vu qu'elle prenait la valise avec elle, je ne sais pas comment c'est possible. Je lui ai redemandé si elle avait assez d'argent, elle a répété ne t'inquiète pas, j'ai plongé le nez dans le sac pour chercher un kleenex, tandis qu'elle s'éloignait. Je n'ai pas vu, je n'ai pas vu qu'elle tirait la valise derrière elle.

J'ai attendu qu'elle revienne. Je ne me suis pas inquiétée. J'ai attendu une demi-heure. Et puis une autre. Et puis j'ai vu que la valise n'était plus là. J'ai attendu encore, parce qu'il n'y avait rien d'autre à faire. Parce qu'elle ne pouvait pas être partie sans moi. J'ai attendu parce que j'avais peur qu'on se perde. J'ai attendu sans bouger pour qu'elle sache où me trouver. J'ai attendu et la nuit est tombée. Je crois que je me suis endormie un peu, à un moment il m'a semblé que quelqu'un me tapait sur l'épaule, par-derrière, j'ai ouvert les yeux, mais elle n'était pas là. J'ai attendu et elle n'est pas revenue.

2560   Il faisait froid et je n'avais rien avalé depuis le matin. J'ai fini par sortir de la gare, le dernier train pour Cherbourg venait de partir, je me suis avancée sur le parvis jusqu'à la rue Saint-Lazare, il y avait ce bruit tout autour, les voitures, les bus, les klaxons, et ma tête qui tournait, je me suis arrêtée, j'ai caressé

2565   au fond de ma poche le petit Opinel[1] que Lucas avait fait tomber un jour dans la cour sans s'en rendre compte, que je garde toujours sur moi.

No m'avait laissée, No était partie sans moi.

Autour de moi rien ne s'était tu, autour de moi la rue

2570   continuait de vivre, bruyante et désordonnée.

On est ensemble, hein, Lou, on est ensemble, est-ce que tu me fais confiance, t'as confiance en moi, appelle-moi quand tu pars, je t'attends en bas des marches, je t'attends devant le café, c'est mieux payé mais je travaille la nuit, laisse-moi dormir, je

2575   suis crevée, je peux pas bouger, il ne faut pas en parler, on est ensemble, Lou, si tu m'apprivoises tu seras pour moi unique au monde, j'ai dit je voudrais parler à Suzanne Pivet, si tu pouvais m'accompagner, tu te poses trop de questions tu vas finir par te flinguer les neurones, on est ensemble, hein, alors tu vas venir

2580   avec moi, je serai jamais de ta famille, Lou, qu'est-ce que tu crois, alors tu vas venir avec moi, je vais chercher les billets, c'est pas ta vie, tu comprends, c'est pas ta vie.

---

1. **Opinel** : marque fameuse de couteaux de poche.

❧

Je suis rentrée chez moi à pied, je n'avais pas de ticket de métro, je n'avais rien. J'ai marché longtemps, je ne me suis pas
2585 dépêchée, je n'ai pas demandé de l'aide, je n'ai pas été voir la police. Mes baskets me faisaient mal. Quelque chose venait de m'arriver. Quelque chose dont je devais comprendre le sens, dont je devais prendre la mesure, pour toute la vie. Je n'ai pas compté les feux rouges, ni les Twingo[1], je n'ai pas fait de
2590 multiplications dans ma tête, je n'ai pas cherché les synonymes de déshérence[2] ni la définition de complexion[3]. J'ai marché en regardant droit devant moi, je connaissais le chemin, quelque chose venait de m'arriver qui m'avait fait grandir. Je n'avais pas peur●.

2595 J'ai sonné à la porte, ma mère a ouvert. J'ai vu sa tête toute défaite, ses yeux rougis. Elle est restée devant moi, aucun son ne semblait pouvoir sortir de sa bouche, et puis elle m'a

1. **Twingo** : modèle de voiture de la marque Renault.
2. **Déshérence** : fait d'être abandonné, sans héritier.
3. **Complexion** : les éléments qui constituent le corps humain.

● C'est l'un des traits de caractère de Lou, et des enfants en général, que de se livrer à des pratiques obsessionnelles (comptages, épreuves symboliques) quasi magiques, pour affronter une épreuve, pour se rassurer.

attirée contre elle, sans un mot, elle pleurait comme jamais je ne l'avais vue pleurer. Je ne sais pas combien de temps ça a duré, ce silence, son corps soulevé par les sanglots, j'avais mal partout mais je n'avais pas de larmes, j'avais mal comme jamais auparavant. Elle a fini par dire tu nous as fait peur, elle est partie dans le salon pour prévenir mon père qui était au commissariat.

Avec Lucas nous avons attendu quelques semaines pour aller voir Geneviève, nous avons pris le métro jusqu'à la Porte de Bagnolet, nous avons attrapé un caddie pour entrer dans l'hypermarché, nous nous sommes laissé entraîner par la musique, les cloches tintaient et les œufs de Pâques s'étalaient sur une allée entière. Nous avons fait la queue au rayon Charcuterie, Geneviève m'a reconnue, elle m'a dit qu'elle avait sa pause dans un quart d'heure, elle nous rejoignait à la cafétéria.

On l'a attendue sous les lampadaires en plastique orange, devant un coca. Elle nous a rejoints sans sa coiffe en dentelles, elle n'avait que vingt minutes, Lucas lui a proposé de boire quelque chose, elle a refusé. Je pensais que No lui avait peut-être écrit une carte, en souvenir du temps qu'elles avaient passé ensemble avec Loïc, qu'elle avait peut-être eu envie de lui dire qu'elle était là-bas, qu'elle allait mieux. Mais Geneviève n'avait aucune nouvelle. Elle nous a raconté Loïc, exactement comme No me l'avait raconté, son départ pour l'Irlande, sa promesse d'écrire. Mais No n'avait jamais rien reçu. Ni là-bas, ni plus tard. Elles ont appris par un éducateur que Loïc vivait à Wexford, qu'il travaillait dans un bar. Il n'a jamais écrit.

✑

2625 Monsieur Marin vient de terminer son cours, nous avons pris
des notes sans rater un mot, même si c'est le dernier jour. Il
s'est arrêté un quart d'heure avant la sonnerie pour que nous
ayons le temps de ranger la classe.

[...]

2630 Nous sortons de la salle, les élèves le saluent avec chaleur,
au revoir Monsieur Marin, bonne continuation, bonnes
vacances, reposez-vous bien. Au moment où je passe la porte,
il m'interpelle.

– Mademoiselle Bertignac ?

2635 – Oui ?

– Je voudrais vous donner quelque chose.

Je m'approche de son bureau. Il me tend un vieux livre,
recouvert de papier kraft. Je le prends, l'ouvre à la première
page, je n'ai pas le temps de lire le titre, seulement son nom,
2640 écrit à l'encre bleue : Pierre Marin 1954.

– C'est un livre qui a été très important pour moi, quand
j'étais jeune homme.

Le papier est jaune, le livre semble avoir traversé quatre ou
cinq siècles. Je le remercie, je suis seule dans la classe avec lui,
2645 très intimidée, je ne sais pas du tout ce qu'il faut dire, dans ces

cas-là, je suis sûre que c'est un très beau cadeau, je remercie encore. Je me dirige vers la porte, il m'appelle de nouveau.

   – Mademoiselle Bertignac ?

   – Oui ?

2650   – Ne renoncez pas.

Geneviève est repartie dans son rayon, elle nous a fait un petit signe avant de disparaître.

Je devais avoir une petite tête parce que Lucas a passé sa main sur mon visage, tout doucement.

2655 Il a approché sa bouche de la mienne, et j'ai senti ses lèvres d'abord, et puis sa langue, et nos salives se sont mélangées.

Alors j'ai compris que, parmi les questions que je me pose, le sens de rotation de la langue n'est pas la plus importante.

Mai 2006 – Mars 2007

Delphine de Vigan, *No et moi,*
© Éditions Jean-Claude Lattès, 2007.

Photo du film No et moi *de Zabou Breitman, 2009.*

No et moi

Un récit d'adolescence sur une question de société

Un récit d'adolescence par une adolescente

No et moi s'inscrit dans le genre du récit d'enfance et d'adolescence. Ce roman raconte l'histoire de trois adolescents, Lou, Nolwenn (No) et Lucas ; mais ce récit est singulier car il est raconté à la 1ʳᵉ personne.

Qu'est-ce qu'un récit d'enfance et d'adolescence ?

Le récit d'enfance* et d'adolescence* est une forme romanesque centrée sur le passage de l'enfance à l'âge adulte. Ce genre se développe au tour nant des xixᵉ et xxᵉ siècles, dans des romans comme L'Enfant de Jules Vallès ou Le Grand Meaulnes de Alain-Fournier, où le héros adolescent est amené à exprimer son refus du monde des adultes et sa révolte.

● UN RÉCIT D'ADOLESCENCE

La première scène de *No et moi* se déroule dans une salle de classe où Lou subit le regard des autres élèves.

Le récit insiste ensuite sur l'entourage de Lou, celui d'une adolescente : les camarades, pas toujours bienveillants qui « pouffent en silence », le garçon dont on est secrètement amoureuse (« Lucas… »), les parents avec qui on peine à communiquer.

Le langage enfin, avec citations de marques, monologues intérieurs de Lou sur ses rituels (jeux avec le langage, comptes imaginaires, etc.), rend compte de l'état d'esprit adolescent.

L'état d'esprit adolescent
est un mélange de contestation, de solitude et de décalage liés à la transformation de soi.

● LE POINT DE VUE D'UNE ADOLESCENTE

« Monsieur Marin m'observe ». Le récit est raconté par Lou à la 1ʳᵉ personne et selon son point de vue d'adolescente de 13 ans. Elle se sent différente (« je voudrais seulement être comme les autres… »), et incarne ainsi cette impression de décalage typique de l'adolescence.

Narrateur et point de vue

Le narrateur* peut être interne* ou externe* à l'histoire.
Il peut raconter d'un point de vue* :
— externe : comme un témoin qui décrit ce qu'il voit ;
— interne : il indique ses pensées et ce qu'il voit (le plus souvent le cas ici) ;
— omniscient : il sait tout et connaît même les pensées des personnages.

Cependant, elle fait preuve d'une grande maturité, par sa capacité à utiliser son savoir au quotidien, mais aussi par l'expérience de la mort de sa petite sœur (« J'ai entendu le cri de maman, un cri que je n'oublierai jamais. ») Enfin, révoltée, elle porte un regard sans concession sur le monde et refuse de se résigner : « Et si on décidait que les choses peuvent être autrement... ».

● **DE LA RÉVOLTE À L'APPRENTISSAGE**

Qu'est-ce qu'un récit d'apprentissage ?

Le récit d'apprentissage* est une forme romanesque centrée sur l'éducation que le héros va recevoir grâce aux expériences qu'il traverse.
Le roman de Gœthe, Les années d'apprentissage de Wilhelm Meister, *écrit en 1795-1796, est le premier modèle du genre. On peut citer ensuite* L'Éducation sentimentale *(1869) de Flaubert qui relate l'éducation ratée de Frédéric Moreau.*

Au cours du récit, Lou vit plusieurs expériences clés : la rencontre de l'autre, la découverte des injustices, l'amour. À travers elles, elle va se former et se forger une conception de la vie. Il s'agit donc d'un roman d'apprentissage.

Le processus d'évolution et d'éducation est déclenché par la confrontation de ses idéaux naïfs avec un environnement hostile et rude (les conditions d'existence de No). Ses expériences concrètes la font peu à peu grandir.

À la fin du récit, Lou dit : « Quelque chose venait de m'arriver [...] dont je devais prendre la mesure, pour toute la vie. [...] qui m'avait fait grandir. ». Elle décide alors d'abandonner ses rituels de lutte contre l'angoisse : elle a mûri.

Un récit engagé qui interroge sur une question de société

Dans No et moi, l'auteur met en scène une adolescente aux prises avec la question des sans-abri et de la grande pauvreté : « Je vais retracer l'itinéraire d'une jeune femme sans abri, sa vie... comment elle se retrouve dans la rue. » À travers elle, le roman fournit un témoignage engagé sur cette question de société.

● LA MISE EN SCÈNE D'UNE QUESTION DE SOCIÉTÉ

Très tôt dans le roman, M. Marin, le professeur pour qui Lou prépare son exposé, indique des données statistiques : « Selon les estimations il y a entre 200 000 et 300 000 personnes sans domicile fixe, 40 % sont des femmes le chiffre est en augmentation constante. Et parmi les SDF âgés de 16 à 18 ans, la proportion de femmes atteint 70 % ».

S'appuyant sur le témoignage de No, l'exposé de Lou révèle les conditions concrètes de vie d'une SDF : la précarité, l'errance (« elle dort ici où là... ») le drame de son enfance : conçue lors d'un viol, elle est abandonnée par sa mère, ce qui explique son impossibilité à mener une vie normale.

De la sorte, le roman propose au lecteur de regarder les SDF de l'intérieur, avec empathie, à la manière de Victor Hugo dans *Le Dernier Jour d'un condamné* qui, en révélant ses pensées, change le regard du lecteur sur le condamné.

● UN PERSONNAGE ENGAGÉ QUI INCITE À RÉFLÉCHIR

Lou rencontre No pour son exposé, mais très rapidement elle s'indigne : « Sommes-nous de si petites choses, si infiniment petites, que le monde continue de tourner, infiniment grand, et se fout pas mal de savoir où nous dormons ? ». Cela la conduit à s'engager. Elle commence par voir ce qui ne va pas : « Comme le symptôme de notre monde malade ».

S'engager : *le mot « engagement » date du xxᵉ siècle mais l'engagement des écrivains est bien antérieur.*

La littérature engagée

On parle de littérature engagée* quand un écrivain participe à la vie politique et intellectuelle de son époque en soutenant dans ses œuvres les causes et les idées auxquelles il tient.

Parmi les écrivains français connus pour leur engagement, figurent Voltaire, Victor Hugo, Émile Zola et Jean-Paul Sartre. Le premier prend fait et cause pour Calas, un protestant condamné pour sa religion, Hugo s'engage contre la peine de mort et contre Napoléon III, Zola prend parti dans l'Affaire Dreyfus, Sartre défend, sa vie durant, le communisme et invite les artistes à s'engager.

Ensuite, elle refuse la résignation, conteste l'ordre des choses (« il y a cette phrase qui me revient, *c'est une fille qui vit dans un autre monde que e tien* […] Je ne veux pas que mon monde soit un sous-ensemble A qui ne ossède aucune intersection avec d'autres (B, C, ou D), que mon monde oit une patate étanche tracée sur une ardoise, un ensemble vide »).
Enfin, elle agit, en décidant d'accueillir No chez elle.

Ce parcours (prise de conscience, réflexion, action) propose un modèle 'engagement au lecteur.

Les engagements marquants au xxᵉ siècle

Les écrivains et les artistes se sont engagés contre les guerres et les régimes totalitaires du xxᵉ siècle.

En Europe, la guerre d'Espagne (juillet 1936 à avril 1939) s'achève par la dictature de Franco. De nombreux écrivains s'engagent physiquement et vont défendre la République. Malraux s'en inspire et écrit L'Espoir en 1937, tandis qu'Hemingway rend hommage aux combattants républicains Espagnols avec Pour qui sonne le glas trois ans plus tard.

Pendant la Seconde Guerre mondiale, de nombreux poètes (Desnos, Aragon, Eluard…) s'engagent dans la Résistance et appellent par leurs œuvres à combattre les nazis.

Étape I • Découvrir le début du roman

SUPPORT • Depuis l'incipit* jusqu'à « de la liste. » (pp. 17 à 20)

OBJECTIF • Comprendre comment l'auteur fait entrer le lecteur dans le récit et identifier les personnages et les thèmes du roman.

As-tu bien lu ?

1 L'action est située dans :
☐ une classe   ☐ une entreprise   ☐ une gare

2 Le narrateur est :
☐ Lou Bertignac   ☐ Monsieur Marin   ☐ Lucas

3 Quel est le sujet de l'exposé de Lou ? Quelle sera sa méthode

Un début « in medias res* »

4 Montre que la première phrase introduit le lecteur dans une action commencée avant le début du récit*.

5 Montre que le lecteur est d'abord plongé dans l'intimité du narrateur* avant d'apprendre son identité.

Des personnages bien caractérisés

6 Fais la liste complète des personnages qui apparaissent et qui sont cités dans ce passage.

Personnages qui apparaissent	Personnages cités
....	....
....	....
....	....
....	....
....	....
....	....

7 Qu'apprend-on sur Lou et Lucas ? Réponds à partir d'indices précis du texte en déterminant le portrait et le caractère de chacun.

Le sujet de l'exposé et le sujet du roman

8 Quelles sont les particularités du sujet de l'exposé de Lou ?

9 Qu'y a-t-il de particulier dans la façon dont Lou va traiter son sujet ? Cela répond-il à la demande de sources documentaires du professeur ?

10 À partir de cette première page, et des réponses aux questions précédentes, peux-tu à présent indiquer qui sont « No » et « moi » ?

La langue et le style

11 Quelles sont les figures de style* employées par Lou ici ?
« Si je pouvais m'enfoncer cent kilomètres sous terre » : ....
« je suis une minuscule poussière, une particule invisible » : ....
« je suis légère comme un soupir » : ....

12 Quel temps verbal* domine dans ce passage ? Quelle est sa valeur ? Est-ce le temps attendu dans un récit ? Pourquoi a-t-il été choisi ?

Faire le bilan

13 Complète ce texte avec les bons mots.
La première phrase du livre place le .... au cœur d'une action déjà commencée. Ce début .... et l'écriture de l'incipit au .... et à la .... rendent le récit .... et dynamique. Les éléments essentiels sont mis en place : la .... et le ...., Lou Bertignac apparaît rapidement. Un second personnage .... est aussi présenté. Ce dernier et la narratrice apparaissent .... Le cadre de l'action : un lycée et des lycéens est posé par la .... (une classe, un exposé). Le sujet d'exposé choisi par la narratrice, les ...., annonce le .... du récit et son .... : poser la question de l'exclusion ; la méthode du .... et de l'.................... prépare l'arrivée d'un nouveau ...., une jeune femme SDF. On comprend ainsi le .... et le lecteur dispose des .... pour entrer dans le roman.

À toi de jouer

14 Comme Lou tu dois affronter une épreuve, en classe, dans le cadre d'une activité extrascolaire ou dans ta famille. Raconte-la à la 1re personne et à la manière de Lou (tu peux reprendre certaines de ses expressions).

Étape 2 • Analyser la rencontre avec No

SUPPORT • De « La gare d'Austerlitz » à « qui faisait peur. » , pp. 22 à 27

OBJECTIF • Caractériser le personnage de No et sa relation avec Lou.

As-tu bien lu ?

1 Où a lieu la rencontre ?

2 Que fait Lou à la gare ?

3 Comment No aborde Lou ?

Une situation inversée

4 Qu'apprend-on sur Lou d'après ce dialogue* ? Complète le tableau suivant.

Ce qu'elle fait à la gare	Elle regarde les gens
Son âge	
Sa classe	
Pourquoi est-elle en avance ?	
Pourquoi l'a-t-on changée de classe en CM1 ?	

5 Qu'apprend-on sur No au cours du dialogue ?

6 Analyse le dialogue des lignes 139 à 176. Qui pose les questions ? Qui répond ? Montre que cela inverse la situation* par rapport à ce qui était prévu.

No : un personnage complexe

7 Quelle est l'apparence physique et vestimentaire de No ? Relève les deux descriptions* faites par Lou et analyse-les.

8 Dans quelle mesure peut-on dire que le dialogue, en particulier la manière dont la jeune fille parle, nous éclaire sur la personnalité de No ?

9 Relève à présent les hypothèses que formule Lou sur No. Qu'apprend-on de nouveau sur No ?

Une rencontre

10 No demande des cigarettes, prend le paquet de chewing-gum
et demande de l'argent à Lou. Quels détails montrent que cette rencontre
va au-delà de cette simple demande de services pour No et Lou ?

11 Relis les passages des lignes 180 à 200 et 206 à 215. Que ressent
la narratrice. En quoi cela la rapproche-t-elle de No ? En quoi
ces passages montrent-ils qu'une rencontre a eu lieu ?

12 Complète ce tableau des gens que voit Lou à la gare, dans le premier
paragraphe (l. 80 à 105) du passage.

Personnages	Ce qu'ils font
	qui se quittent.
	qui repartent.
	qui abandonnent des hommes au col relevé.

a) Qu'y a-t-il de commun entre les personnes de cette énumération* ?

b) Ce thème commun est-il développé ensuite dans la rencontre entre
Lou et No ?

La langue et le style

13 En quoi peut-on dire que le vocabulaire et la syntaxe* de No indiquent
sa situation sociale ?

Faire le bilan

14 En t'appuyant sur tes réponses aux questions précédentes, rédige
un paragraphe montrant que ce passage permet de faire connaissance
avec le personnage de No et met en scène une vraie rencontre.

À toi de jouer

15 Rédige un dialogue entre deux personnes inconnues et très différentes
qui se rencontrent.

16 Réécris le dialogue de No et Lou de telle manière que Lou pose
les questions qu'elle voudrait poser à No à propos de sa vie
et de son histoire.

Étape 3 • Analyser l'épisode de la mort de Thaïs

SUPPORT • Depuis « Quand j'avais huit ans » (l. 656) jusqu'à « plus jamais elle ne me serre contre elle. » (l. 801), pp. 47 à 53

OBJECTIF • Comprendre le rôle explicatif du retour en arrière dans le roman.

As-tu bien lu ?

1 Quel âge avait Lou à la naissance de Thaïs ?

2 Où Lou cherche-t-elle des réponses aux questions qu'elle se pose sur la conception des enfants ?

3 Combien de temps Lou part-elle après la mort de sa petite sœur ?

4 Après cette tragédie la mère de Lou :
☐ ne parle plus ☐ ne s'alimente plus ☐ ne dort plus

Du bonheur...

5 Quels éléments montrent que le deuxième enfant est attendu et désiré ?

6 Complète ce tableau pour analyser la manière dont est montré le bonheur des parents lors de la naissance de Thaïs.

On boit le champagne.	l. ....
On organise la maison pour accueillir le bébé.	l. ....
Portrait de la mère en vacances, joyeuse, ce qui tranche avec la mère mutique et maladive du début.	l. ....

7 Comment Lou manifeste-t-elle son émerveillement devant la naissance du bébé ?

...à la tragédie familiale

8 Explique en quoi le passage sur les photos (lignes 710 à 719 et 726 à 731) annonce la catastrophe.

a) En analysant les sentiments et le vocabulaire.

b) En analysant le temps verbal* employé.

9 La mort de l'enfant est racontée des lignes 732 à 751. Relève les sons entendus par Lou et ce qu'elle voit.

10 Comprend-elle immédiatement ce qui est en train de se passer ? Montre que cela rend la scène* particulièrement dramatique.

11 En analysant le champ lexical* dominant du paragraphe (l. 755 à 772), explique en quoi cette tragédie* bouleverse la vie de Lou ?

12 Quel autre personnage est transformé par cette tragédie ? De quelle manière ?

Un long retour en arrière

13 À quel moment est située l'action de ce passage ? Réponds en analysant les formules qui le situent dans le temps et le temps dominant des verbes.

14 Que nous apprend ce passage sur Lou et sa famille ?

La langue et le style

15 Des lignes 698 à 705, avec quoi Lou compare-t-elle successivement la naissance d'un bébé ? Quelle est son intention ?

Faire le bilan

16 Rédige un bref paragraphe dans lequel tu expliqueras ce qu'est un retour en arrière* dans le récit et ce à quoi il sert dans l'exemple que tu viens d'étudier.

À toi de jouer

17 Fais une recherche sur la mort subite inexpliquée du nourrisson. Ce phénomène est-il fréquent ou rare ? À partir de tes recherches, tu te demanderas si Lou a raison ou non de se sentir différente des autres, puis tu donneras ton avis personnel sur son sentiment.

18 Imagine Lou devenue adulte et fais-lui raconter sous la forme d'un retour en arrière sa rencontre avec No (étudiée dans l'étape 2). Tu commenceras par « Quand j'avais treize ans » et tu t'attacheras à donner une dimension explicative à ton récit.

Étape 4 • Étudier la description du quotidien de No

SUPPORT • Depuis « Elle vient d'avoir dix-huit ans » (l. 809) jusqu'à « leur vérité. » (l. 871), pp. 54 à 56

OBJECTIF • À travers l'exemple du personnage de No, comprendre ce qu'est la vie d'une SDF.

As-tu bien lu ?

1 Quel est l'âge de No ?
- ☐ 16 ans
- ☐ 18 ans
- ☐ 27 ans

2 Où se retrouvent Lou et No pour parler ?
- ☐ Au café Le Relais d'Auvergne.
- ☐ À la gare d'Austerlitz.
- ☐ Dans un foyer d'urgence.

3 Quels sont les « endroits invisibles » où No se réfugie ?

4 Pour Lou le récit de No est :
- ☐ horrible   ☐ insupportable   ☐ un cadeau

La première préoccupation : où dormir ?

5 Montre que la difficulté première que No doit affronter est de trouver un endroit où dormir.

6 En étudiant le texte, caractérise les trois types de lieu où No se réfugie pour dormir.

7 Quelles sont les caractéristiques des centres d'accueil d'urgence ? Explique pourquoi No n'y va qu'en dernier recours.

Une vie difficile et dangereuse

8 Que consomme No au café, lorsqu'elle est avec Lou et lorsqu'elle est seule ? Qu'est-ce que cela donne comme indication sur elle ?

9 En t'appuyant sur des citations précises, montre que la vie de No est marquée par :

La fatigue	....
La violence et la peur	....
L'errance, l'ennui	....
La honte et la volonté de rester digne	....

La langue et le style

10 Fais l'analyse grammaticale de l'expression « Une valise à roulettes qui contient toute sa vie » (l. 816-817), puis explique son sens.

11 À quelle personne et à quel temps est majoritairement écrit ce passage ? Explique pour quelle raison.

12 Dans un récit on distingue « sommaire* » (lister des événements) et « scène* » (raconter en détail un événement).
Relève une scène dans l'extrait, montre que les sommaires y sont très présents et explique pourquoi.

Faire le bilan

13 Résume ce passage sous la forme d'un récit descriptif*
dans lequel tu exposeras les conditions de vie d'une jeune SDF à Paris.
Tu t'appuieras sur tes réponses aux questions précédentes.

À toi de jouer

14 Le roman est-il selon toi un bon moyen d'aborder une question d'actualité ? Tu répondras de manière argumentée* à cette question sous la forme d'un développement* précédé d'une courte introduction*.

15 Réécris le passage de « Elle dort ici ou là » (l. 819) à « sont fermés » (l. 829) sous la forme d'un récit à la première personne dont le narrateur* serait No.

Étape 5 • Caractériser les personnages

SUPPORT • La totalité du roman

OBJECTIF • Analyser la construction des personnages dans le roman.

As-tu bien lu ?

1 Lou s'appelle :
☐ Lou Liétu   ☐ Lou Bertignac   ☐ Lou Dubois

2 Les deux amis de No sont :
☐ Geneviève et Loïc   ☐ Axelle et Léa   ☐ Paul et Virginie

3 Les parents de Lucas sont :
☐ séparés   ☐ inconnus   ☐ mariés

Trois adolescents en miroir

4 Complète le tableau suivant pour établir la fiche d'état civil de chacun des personnages*.

	Lou	Lucas	No
Âge	....	17 ans	18 ans
Quelle est la relation avec les parents ?	Parents présents mais peu attentifs depuis la mort de leur enfant.	....	....
A-t-il des frères et sœurs ?	Aucun depuis la mort de sa petite sœur.	....	Aucun.
Où en est-il de sa scolarité ?	....	Intelligent mais mauvais élève. Ne fait rien, est en retard.	....
A-t-il des amis ?	Non très peu.	....	Geneviève et Loïc rencontrés en foyer.
Quelle est son histoire familiale ?	....	Famille disloquée depuis le départ du père. Lucas vit seul dans un grand appartement.	....
Où est son domicile ?	Chez ses parents.	....	À la rue.

5 Dans quelle mesure peut-on dire que ces personnages sont isolés et en décalage par rapport à leur entourage ?

Des personnages d'adultes

6 Fais la liste des adultes du roman. Qui sont-ils ?

7 Comment sont-ils nommés dans le roman ?

8 Pour quelle raison selon toi les adultes et les adolescents sont-ils désignés différemment ?

9 Compare les réactions des adultes et de Lou et Lucas face à No. Que peux-tu en conclure sur les uns et les autres ?

La langue et le style

10 *Rends à César :* attribue à chacun la phrase qui lui correspond.

.... « Je sais pas ce que je vais faire, tu vois, je sais plus du tout. »

.... « Votre matériel est resté sur la plage ? »

.... « Les peignes, c'est comme les brosses à dents, ça ne se prête pas. »

.... « Tu as passé une bonne journée, tu as beaucoup de travail aujourd'hui, tu n'as pas eu froid avec ton blouson. »

.... « Alors j'ai pensé que la grammaire a tout prévu, les désenchantements, les défaites et les emmerdements en général. »

.... « Avant on y arrivait pas mal, tous les deux, on se racontait des choses, on se parlait. Qu'est-ce qui ne va pas ? »

Faire le bilan

11 Complète le texte suivant.

Le roman met en scènes trois personnages d'adolescents, ..., ... et .... Ils sont très différents : Lou est très .... à l'école et ...., No vit .... et ne va plus à l'école, Lucas est le .... de sa classe. Pourtant ils ont en commun d'avoir chacun vécu un .... ce qui les .... et les place dans une .... de décalage par rapport aux autres jeunes gens de leur âge. Tous trois expriment ...., ce moment de la vie où on se sent seul.

À toi de jouer

12 Lucas et le père de Lou ne se rencontrent pas dans le roman. À partir de ce que tu sais des deux personnages, imagine un dialogue* entre eux à propos de No et de ce qu'il faudrait faire pour elle.

Étape 6 • Analyser la révolte de Lou

SUPPORT • Depuis « Il y a cette ville invisible » (l. 967) jusqu'à « peut devenir grand ? » (l. 1382), pp. 62 à 80

OBJECTIF • Comprendre quelle stratégie Lou met en œuvre pour « sauver » No, et percevoir à travers son discours* la dimension « engagée* » du récit.

As-tu bien lu ?

1 Après l'exposé de Lou, la classe :
☐ est indifférente.　　　☐ applaudit.　　　☐ se moque.

2 Lou retrouve No :
☐ au supermarché.　　　☐ à la gare.
☐ dans la queue d'un foyer d'urgence.

3 Quelle est la réaction de No lorsque Lou la retrouve ?

4 Que décide Lou pour remédier à la situation?

5 Quelle technique emploie-t-elle pour convaincre* ses parents ?

De la prise de conscience à l'action

6 Dans le passage des lignes 967 à 979, relève le champ lexical* de la vision.

7 Justifie l'importance de ce champ lexical.

8 Comment Lou va-t-elle mettre en pratique sa prise de conscience ? Indique les lignes correspondant à chaque étape.
  • La recherche de No : lignes ....
  • La discussion sur l'existence de « mondes qui ne communiqueraient pas entre eux » : lignes ....
  • La comparaison de son monde et de celui de No : lignes ....
  • Les retrouvailles ratées avec No : lignes ....
  • Refuser de vivre dans deux mondes différents : lignes ....
  • Le retour de No : lignes ....
  • L'idée d'accueillir No chez elle : lignes ....
  • La construction d'une argumentation* : lignes ....

9 Relève trois formules qui montrent que Lou propose de se révolter contre le monde tel qu'il va.

Argumenter pour que « les choses soient autrement »

(analyse du passage de la ligne 1320 à 1355, pp. 78-79)

10 Entre quelles stratégies Lou hésite-t-elle pour convaincre ses parents ?

11 Pour quel motif choisit-elle la vérité ?

12 Lou construit un argumentaire* en trois parties. Complète le tableau suivant pour comprendre sa méthode.

Parties	Fonction	Contenu
Introduction	....	....
Première partie :	Exprimer son idée principale.	....
Deuxième partie : antithèse	....	Il y a des organismes spécialisés, ce n'est pas à nous de le faire.
Troisième partie :	....	....
Conclusion	Ouvrir sur une nouvelle perspective.	....

13 Quel est le résultat de son argumentation ? Peut-on dire que Lou s'est engagée en faveur d'une cause ?

La langue et le style

14 Relève la métaphore* employée par Lou pour dire qu'elle et No vivent dans des mondes différents. À quelle science est-elle empruntée ?

15 Quel est le registre de langue* de No dans ce passage ? Justifie.

Faire le bilan

16 Pour quelle cause ce roman prend-il parti ?

À toi de jouer

17 Imagine que tu dois convaincre tes parents, ou un ami, d'une cause de ton choix. Construis le plan de ton argumentation en t'inspirant de la méthode employée par Lou.

Étape 7 • Étudier la fin du roman

SUPPORT • pp. 132 à 142

OBJECTIF • Comprendre en quoi cette fin est celle d'un roman d'adolescence de formation.

As-tu bien lu ?

1 Comment Lou retrouve-t-elle No ?

2 Pourquoi Lou décide-t-elle de partir ?

3 Quelle est leur destination ?
☐ La Normandie.　　☐ L'Irlande.　　☐ Bruxelles.

4 Pour quelle raison No souhaite-t-elle partir ?

La fin de l'histoire

5 Quel cadeau No offre-t-elle à Lou? Quelle est la signification de ce geste?

6 Les dernières pages du roman sont composées de plusieurs courts passages concluant chacune des histoires qui se croisent dans le livre. Montre-le en complétant le tableau suivant.

	Lignes	Événements
L'histoire de No et Lou		
La relation entre Lou et ses parents		
L'histoire de No et Loïc		
L'histoire de Lou et Lucas		
Le rôle de Monsieur Marin		

7 À l'aide du tableau de la question précédente, montre que la fin du roman* apporte des réponses à toutes les questions que le lecteur pouvait se poser.

La fin d'un récit de formation

8 En t'appuyant sur le texte qui succède au départ de No, p. 136 (l. 2571 à 2582) explique ce qui montre que Lou a appris quelque chose.

9 Quel rôle joue Monsieur Marin (p. 140-141) ?

10 Montre que la dernière formule (l. 2658) est à la fois humoristique* et grave car elle insiste avec légèreté sur la formation de Lou.

La langue et le style

11 De quelles manières sont rapportées les paroles* de No dans ce passage (l. 2469 à 2475) ? Pourquoi ?

Faire le bilan

12 En t'appuyant sur tes réponses aux questions précédentes, tu rédigeras un paragraphe montrant que la fin du roman apporte bien une conclusion* à chacune des différentes histoires qui se croisent dans le livre.

13 Lors de son retour chez elle, que suggère le comportement de sa mère vis-à-vis de Lou (l. 2595 à 2603) ?

14 Que ressent Lou lorsque Monsieur Marin lui offre un livre ? Pourquoi (l. 2644 à 2647) ?

15 Explique en quoi cette fin montre qu'il s'agit bien d'un roman sur l'adolescence* et sur la formation d'une adolescente.

À toi de jouer

16 Imagine une autre fin à ce roman.

17 Compare la fin que tu as rédigée et celle du roman. Explique celle que tu préfères avec au moins trois arguments*.

L'adolescence, une période de révolte : groupement de documents

OBJECTIF • Comparer plusieurs documents sur le thème de l'adolescence révoltée.

DOCUMENT 1 ARTHUR RIMBAUD, *Une saison en enfer*, « Jadis », 1873.

Une saison en enfer est un recueil de poèmes en prose qui, après Le Spleen de Paris de Beaudelaire, fait date dans l'histoire de la poésie, par sa forme et son ton. Autobiographie poétique et révoltée, le recueil est aussi un violent réquisitoire contre la société occidentale. Arthur Rimbaud l'écrit à 19 ans alors qu'il traverse une grave crise.

Jadis, si je me souviens bien, ma vie était un festin[1] où s'ouvraient tous les coeurs, où tous les vins coulaient.

Un soir, j'ai assis la Beauté[2] sur mes genoux. – Et je l'ai trouvée amère. – Et je l'ai injuriée.

Je me suis armé contre la justice.

Je me suis enfui. Ô sorcières, ô misère, ô haine, c'est à vous que mon trésor a été confié !

Je parvins à faire s'évanouir dans mon esprit toute l'espérance humaine. Sur toute joie pour l'étrangler j'ai fait le bond sourd de la bête féroce.

J'ai appelé les bourreaux pour, en périssant, mordre la crosse de leurs fusils. J'ai appelé les fléaux[3], pour m'étouffer avec le sable, avec le sang. Le malheur a été mon dieu. Je me suis allongé dans la boue. Je me suis séché à l'air du crime. Et j'ai joué de bons tours à la folie.

Et le printemps m'a apporté l'affreux rire de l'idiot.

Or, tout dernièrement, m'étant trouvé sur le point de faire le dernier couac ! j'ai songé à rechercher le clef du festin ancien, où je reprendrais peut-être appétit.

1. **Festin** : repas de fête très abondant.
2. **Beauté** : la majuscule marque la personnification.
3. **Fléau** : Calamité publique importante (grève, tempête, épidémie) qui s'abat sur le monde..

164

La charité est cette clef. – Cette inspiration prouve que j'ai rêvé !

« Tu resteras hyène, etc. » se récrie le démon qui me couronna de si aimables pavots[4]. « Gagne la mort avec tous tes appétits, et ton égoïsme et tous les péchés capitaux. »

Ah ! j'en ai trop pris : – Mais, cher Satan, je vous en conjure, une prunelle moins irritée ! et en attendant les quelques petites lâchetés en retard, vous qui aimez dans l'écrivain l'absence des facultés descriptives ou instructives, je vous détache des quelques hideux feuillets de mon carnet de damné.

4. **Pavot** : plante dont on extrait l'opium..

DOCUMENT 2 🖋 IRÈNE NÉMIROVSKY, *Le Bal,* chapitre III, © Grasset et Fasquelle, 1930.

Le Bal est une courte nouvelle fulgurante dans laquelle une jeune fille, Antoinette, se venge de sa mère, qui ne veut pas l'inviter au somptueux bal qu'elle organise, en jetant les invitations au lieu de les porter.
Dans ce passage, Madame Kampf vient d'annoncer à Antoinette qu'elle ne lui permet pas d'y apparaître. Dans la nuit qui suit ce refus, la jeune adolescente en pleure de dépit, repousse les consolations de sa gouvernante anglaise et exprime avec âpreté et mordant sa révolte d'être encore considérée comme une enfant.

Antoinette grimaça : « sale Anglaise » et tendit vers le mur ses faibles poings crispés. Sales égoïstes, hypocrites, tous, tous... Ça leur était bien égal qu'elle suffoquât, toute seule, dans le noir à force de pleurer, qu'elle se sentit misérable et seule comme un chien perdu...

Personne ne l'aimait, pas une âme au monde... Mais il ne voyaient donc pas, aveugles, imbéciles, qu'elle était mille fois plus intelligente, plus précieuse, plus profonde qu'eux tous, ces gens qui osaient l'élever, l'instruire... Des nouveaux riches[1] grossiers, incultes... Ah ! comme elle avait ri d'eux toute la soirée, et ils n'avaient rien vu, naturellement... elle pouvait pleurer ou rire sous leurs yeux, ils ne daignaient rien voir... une enfant de quatorze ans, une gamine, c'est quelque chose de méprisable et de bas comme un chien... de quel droit ils l'envoyaient se coucher, la punissaient, l'injuriaient ?

1. **Nouveaux riches** : personnes riches mais sans éducation ni bonnes manières.

« Ah ! je voudrais qu'ils meurent. » Derrière le mur, on entendait l'Anglaise respirer doucement en dormant. De nouveau Antoinette recommença à pleurer, mais plus bas, goûtant les larmes qui coulaient sur les coins de sa bouche et à l'intérieur des lèvres ; brusquement, un étrange plaisir l'envahit ; pour la première fois de sa vie, elle pleurait ainsi, sans grimaces ni hoquets, silencieusement, comme une femme... Plus tard, elle pleurerait, d'amour, les mêmes larmes... Un long moment, elle écouta rouler les sanglots dans sa poitrine comme une houle profonde et basse sur la mer ... sa bouche trempée de larmes avait une saveur de sel d'eau... Elle alluma la lampe et regarda curieusement son miroir. Elle avait les paupières gonflées, les joues rouges et marbrées. Comme une petite fille battue. Elle était laide, laide Elle sanglota de nouveau.

« Je voudrais mourir, mon Dieu faites que je meure... mon Dieu, ma bonne Sainte Vierge, pourquoi m'avez-vous fait naître parmi eux ? Punissez-les, je vous en supplie Punissez-les une fois, et puis, je veux bien mourir »

Elle s'arrêta et dit tout à coup, à voix haute :

« Et sans doute, c'est tout des blagues, le bon Dieu, la Vierge, des blagues comme les bons parents des livres et l'âge heureux »

Ah ! oui, l'âge heureux, quelle blague, hein, quelle blague ! Elle répéta rageusement en mordant ses mains si fort qu'elle les sentit saigner sous ses dents :

« Heureux heureux j'aimerais mieux être morte au fond de la terre »

DOCUMENT 3 🖎 MARJANE SATRAPI, *Persépolis*, tome 2, « La Dot », © L'Association, 2001.

En 1980 les Iraniens font la révolution, déposent le tyran qui les gouverne et instaurent une République islamique. Mais cette nouvelle donne politique laisse peu de libertés aux Iraniens, obligés de se conformer aux prescriptions de la Révolution islamique.

Dans l'extrait choisi, Marjane Satrapi, alors âgée de treize ans, entre en révolte contre les mensonges de ce régime. Expulsée d'une première école, elle est accueillie dans une autre où elle se fait rapidement remarquer. Mais la jeune adolescente grandit, fait une école de graphisme et émigre en France où elle raconte cette histoire en quatre tomes composés de courts chapitres relatant des anecdotes significatives.

APRÈS MON EXPULSION, CE FUT LA CROIX ET LA BANNIÈRE POUR TROUVER UNE AUTRE ÉCOLE QUI VEUILLE BIEN M'ACCEPTER. C'ÉTAIT UN VÉRITABLE CRIME QUE D'AVOIR FRAPPÉ UNE DIRECTRICE MAIS GRÂCE À MA TANTE QUI CONNAISSAIT DES HAUTS FONCTIONNAIRES DANS L'ÉDUCATION NATIONALE, ON A PU ME PLACER DANS UN AUTRE ÉTABLISSEMENT ET LÀ...

DEPUIS QUE LA RÉPUBLIQUE ISLAMIQUE A ÉTÉ INSTAURÉE, NOUS N'AVONS PLUS DE PRISONNIERS POLITIQUES.

MADAME !

MON ONCLE A ÉTÉ EMPRISONNÉ SOUS LE RÉGIME DU CHAH, PAR CONTRE C'EST LE RÉGIME ISLAMIQUE QUI A ORDONNÉ SON EXÉCUTION !

VOUS PRÉTENDEZ QU'ON N'A PLUS DE PRISONNIERS POLITIQUES. OR DE TROIS MILLE DÉTENUS SOUS LE CHAH ON EST EN FAIT PASSÉ À TROIS CENT MILLE AVEC VOTRE RÉGIME.

COMMENT OSEZ-VOUS NOUS MENTIR COMME ÇA ?

OH, SATRAPI !

CLAP !
CLAP !
CLAP !
CLAP !
CLAP !
CLAP !
CLAP !
CLAP !
CLAP !

Planche extraite de la BD Persépolis, *tome 2, « La Dot », Marjane Satrapi, 2001.*

As-tu bien lu ?

Document 1

1 Qui Rimbaud a-t-il assis sur ses genoux ? Que lui a-t-il dit ?

2 Qui est le dieu de Rimbaud ?
   ☐ Le malheur
   ☐ Le bonheur
   ☐ Satan

Document 2

3 De qui la narratrice du *Bal* se plaint-elle ?
   ☐ Sa gouvernante
   ☐ Sa mère
   ☐ Dieu

Document 3

4 Qui Marjane cite-t-elle en exemple des mensonges du régime ?
   ☐ Son oncle
   ☐ Sa tante
   ☐ Une voisine

Un thème : l'adolescence

5 Quel âge environ ont les narrateurs des trois documents ?

6 À qui s'opposent les personnages des documents 2 et 3 (*Le Bal*, *Persépolis*).

7 Comment réagissent, dans le document 3, les autres élèves face à l'intervention de la petite Marjane ? Que peux-tu en conclure ?

8 À quelle période de la vie du narrateur de *Une saison en enfer* le mot « jadis » fait-il allusion ?

9 Comment les documents 2 et 3 mettent-ils en valeur le fait que les adultes ne considèrent pas les adolescents comme des personnes à part entière ?

Trois scènes de révolte

10 Fais la liste de ce que Rimbaud rejette. Que peux-tu en conclure ?

11 Quel point commun vois-tu entre la révolte de Rimbaud et celle de Némirovsky ?

12 Comment la révolte de Satrapi s'exprime-t-elle ?

13 Que traduisent les points de suspension dans l'extrait du *Bal* ?

Lire l'image

14 À quel endroit est située la scène ? Qu'est-ce qui permet de s'en rendre compte ?

15 Quel élément évoque la Révolution islamique ?

16 Comment évolue l'expression de l'enseignante ?

17 Par quels procédés graphiques l'auteur montre-t-il que les adolescents sont considérés comme un groupe et non comme des individus ?

18 Comment Marjane est-elle montrée, au contraire, comme une personne singulière ?

À toi de jouer

19 Imagine une suite à la bande dessinée de Marjane Satrapi. Que va-t-il arriver à cette adolescente révoltée et à ses parents ? Tu pourras présenter ton travail sous forme de texte ou de dessins, comme tu le souhaites.

La représentation de la pauvreté par l'art n'est pas neutre. Pauvres et mendiants sont le plus souvent montrés avec une intention argumentative. Modèles de sagesse, à l'image de Diogène chez les Grecs ou de liberté comme Les Bohémiens *de Jacques Callot, ils peuvent aussi être montrés pour dénoncer. Ainsi, les personnages du* Kid *de Charlie Chaplin montrent les méfaits de la crise, dans les années 1920, et les surprenantes sculptures hyperréalistes de Duane Hanson montrent l'envers du rêve américain.*

Regards sur les exclus

1 Diogène et Alexandre : la pauvreté comme leçon de sagesse

Par la simplicité volontaire de sa vie, par sa frugalité, Diogène donne une leçon : il montre que les vraies valeurs humaines sont celles de l'esprit et de la liberté et non celles de la richesse matérielle. C'est bien le sens de l'épisode de sa rencontre avec le roi Alexandre.

● UN PERSONNAGE HISTORIQUE

Diogène de Sinope (413-327 av. J.-C.) appartient à l'école des philosophes cyniques. Dans l'Antiquité, on le présente soit comme un clochard, débauché et jouisseur, soit au contraire comme un homme rigoureux, sévère et presque héroïque.

● UNE VIE SIMPLE ET REMARQUÉE

Il vivait dehors, dans une jarre, vêtu d'un simple manteau. Il ne possédait qu'un bâton, une besace et une écuelle. Cette vie simple et plus proche de la nature témoigne de son refus des conventions sociales. La légende en fait le héros de nombreuses anecdotes et l'auteur de

bons mots, comme : « Je cherche un homme. » (en parcourant la ville avec sa lanterne). L'authenticité de ces anecdotes est discutable, mais leur abondance montre qu'il a marqué les Athéniens.

● UNE ANECDOTE LÉGENDAIRE ET SYMBOLIQUE

À Alexandre, roi de Macédoine qui lui demande ce dont il a besoin, Diogène répond : « Ôte-toi de mon Soleil. » Cette fable fait de lui le premier représentant de la simplicité volontaire, illustre sa morale qui fait de celle-ci la condition de la liberté et donne naissance à une iconographie abondante.

Diogène et Alexandre, *Nicolas André Monsiau, 1818, musée des Beaux-Arts, Rouen.*

Histoire des arts

Observe le bas-relief situé en deuxième de couverture et le tableau p. 173 pour répondre aux questions suivantes.

1. Présenter et situer
a. Indique le titre, la date, la dimension et la nature de chaque document (peinture, sculpture, etc.).
b. Qui est représenté ? Pourquoi ces modèles sont-ils particuliers ?
c. De quelle époque datent ces œuvres ?

2. Observer
a. Où se passe la scène ?
b. Quels objets et accessoires de Diogène sont représentés. Pourquoi ?
c. Comment sont indiquées les lignes de force du tableau ?

3. Interpréter
a. Quel épisode de la vie de Diogène est représenté ?
b. Comment est mise en valeur la différence entre Diogène et Alexandre (accessoires, position) ?
c. Quel est le but de ces images ?
d. Analyse l'expression et les gestes de Diogène. Que signifient-ils ?

La composition d'une image

C'est le fait d'organiser les éléments sur une image.
On les fait ressortir par :
– des lignes de force (lignes verticales, horizontales, obliques) ;
– des formes (carrées, triangulaires, arrondies).

Jacques Callot : *Les Bohémiens,* une image de l'artiste

Le thème des Bohémiens est récurrent, dans l'iconographie comme dans la poésie.
Le plus souvent la vie nomade et aventureuse est représentée comme une allégorie de l'artiste et de sa quête de la beauté, ou de la destinée humaine.

● UN ARTISTE VOYAGEUR

Originaire de Lorraine, Jacques Callot (1592-1635) est l'un des maîtres de l'eau-forte[1].

Il fuit très jeune sa famille avec une troupe de Bohémiens en direction de l'Italie. Il visite Rome et Florence où il devient apprenti et perfectionne sa technique de la gravure, avant de revenir en Lorraine où il est reconnu comme un maître.

● UN VISIONNAIRE DE LA VIE QUOTIDIENNE

Il crée des séries de gravures : *Les Misères de la guerre, Les Gueux, Les Bohémiens,* qui représentent des personnages et des situations pris dans la vie quotidienne.

Sa série de gravures sur les Bohémiens, sans doute inspirée de son voyage en Italie, est composée de quatre œuvres qui se suivent pour former une frise d'1 m par 12 cm illustrant un poème :

Les Bohémiens

Ces pauvres gueux pleins de
bonaventures
Ne portent rien que des choses futures
Ne voilà pas de braves messagers
Qui vont errant en pays étrangers
Vous qui prenez plaisir en leurs paroles
Gardez vos blancs, vos testons, vos
pistoles
Au bout du compte ils trouvent pour
destin
Qu'ils sont venus d'Égypte à ce festin.

1. Eau forte : procédé de gravure sur une plaque métallique à l'aide d'un acide.

Le poète Charles Baudelaire en tire un poème en 1857 :

Bohémiens en voyage

La tribu prophétique aux prunelles ardentes
Hier s'est mise en route, emportant ses petits
Sur son dos, ou livrant à leurs fiers appétits
Le trésor toujours prêt des mamelles pendantes.

Les hommes vont à pied sous leurs armes luisantes
Le long des chariots où les leurs sont blottis,
Promenant sur le ciel des yeux appesantis
Par le morne regret des chimères absentes.

Du fond de son réduit sablonneux, le grillon,
Les regardant passer, redouble sa chanson ;
Cybèle, qui les aime, augmente ses verdures,

Fait couler le rocher et fleurir le désert
Devant ces voyageurs, pour lesquels est ouvert
L'empire familier des ténèbres futures.

Charles Baudelaire,
Les Fleurs du Mal, 1857.

Vous qui prenez plaisir en leurs parolles,
Gardéz uos blancs, uos testons, et pistolles

Les Bohémiens en chemin, les diseuses de bonne aventure, *gravure sur papier de Jacques Callot,*

Ces pauures gueux pleins de bonaduentures
Ne portent rien que des Choses futures

Les Bohémiens en chemin, l'arrière-garde ou le départ, *gravure sur papier de Jacques Callot,*
1623-1624.

Histoire des arts

Observe les deux gravures (p. 176 et ci-dessus) pour répondre aux questions
suivantes.

1. Présenter et situer

a. De quelle époque datent ces gravures ?
b. À quel vers du poème correspondent-elles ? Justifie ta réponse.

2. Observer

a. Décris la technique et le format de ces œuvres.
b. Quel est le nombre de personnages ? Quel effet cela produit-il ?
c. Comment est donnée l'impression de mouvement dans ces gravures[1] ?

3. Interpréter

a. Selon toi, Callot donne-t-il une image positive ou négative des Bohémiens ?
b. Propose-t-il une vision « réaliste » des Bohémiens ? Aide-toi du texte des
poèmes pour répondre.

---

1. Le mouvement dans une œuvre fixe est
suggéré soit parce que les sujets sont saisis
dans une pose où ils sont en mouvement,

soit par la composition (en triangle, en
ronde, en spirale), qui donne l'impression
que les personnages vont bouger.

3 Le *Kid* de Chaplin : dénonciation de l'injustice de la crise

*Charlie Chaplin crée le personnage de Charlot, un clochard naïf et généreux, aux prises avec les difficultés (misère, chômage) des années 1920. Dans **Le Kid** il lui adjoint un compagnon, un petit garçon abandonné qui, en provoquant notre tendresse et notre compassion, dénonce l'injustice de la crise.*

● **UN SCÉNARIO PROCHE DE LA FABLE MORALE**

Par pauvreté, une mère célibataire est contrainte d'abandonner son enfant. Elle le dépose dans une voiture avec un billet mais deux voyous volent la voiture et abandonnent l'enfant. Il est recueilli par un pauvre vitrier, Charlot. Cinq années passent dans la débrouillardise – l'enfant casse des vitres que Charlot répare – et en tâchant d'échapper aux policiers et aux services sociaux. De son côté, devenue riche, la mère de l'enfant cherche à le retrouver.

● **UNE INVITATION À LA RÉFLEXION**

Ce film, qui marie comédie burlesque, mélodrame et farce, montre les quartiers pauvres d'une grande ville américaine. Ainsi rire et pathétique sont mêlés pour montrer l'humanité et la générosité des plus démunis. L'injustice subie par les personnages indigne le spectateur et le pousse à réfléchir.

 Photos du film The Kid de Charlie Chaplin, 1921.

Histoire des arts

Observe les deux photogrammes pp. 178-179 pour répondre aux questions suivantes.

1. Présenter et situer le film
a. De quel type de film s'agit-il ?
b. De quand date ce film ? Dans quel pays a-t-il été tourné ?
c. Quelle est la situation de ce pays à l'époque ?

2. Observer les photogrammes
a. Où se passe la scène de chaque photo ?
b. Qui est représenté ? Pourquoi ces personnages ont-ils été choisis ?
c. Quels sont les décors et les costumes ?
d. De quel type de plan cinématographique s'agit-il dans chaque image ?
e. Quels détails te permettent de dire qu'il s'agit de photogrammes d'un film muet ?

3. Interpréter les photogrammes
a. À quel épisode appartient chaque image ?
b. Quel est le rôle des costumes ?
c. Que nous apprennent les décors dans chaque image ?
d. Quel est le but de chaque image ?

Plans cinématographiques

Les différents plans cinématographique sont :
– le gros plan sur le personnage,
– le plan américain (buste du personnage),
– le plan moyen (personnage en entier),
– le plan d'ensemble (le décor),
– le plan général (personnage dans le décor).

Duane Hanson : l'envers de la société de consommation

Les artistes du Pop'art et du mouvement hyperréaliste montrent l'envers de la société de consommation étatsunienne des années 1960. En effet, bien que le pays semble marcher vers un bonheur matériel toujours croissant, de graves inégalités sociales et raciales l'agitent.

● **DUANE HANSON (1925-1996), SCULPTEUR AMÉRICAIN HYPERRÉALISTE**

D'abord enseignant en Allemagne, il revient aux États-Unis dans les années 1960. Une grande agitation politique et sociale y règne. Les artistes du Pop'art (Andy Warhol, Roy Lichtenstein) et les hyper-réalistes dénoncent les fausses promesses du rêve étatsunien.

● **L'ILLUSION DE LA RÉALITÉ**

Duane Hanson réalise des person-nages humains grandeur nature par moulage en fibre de verre et résine, matières permettant de reproduire les moindres finesses du corps humain et de les mettre en situation. Ses modèles donnent ainsi l'illusion de la réalité.

Pop'art et hyperréalisme

Le Pop'art est un mouvement des années 1950 qui détourne les images de la publicité et de la société de consommation. L'hyperréalisme, qui lui succède, est un mouvement artistique né aux États-Unis dans les années 1950-1960. Il s'inspire de la photographie et produit des œuvres peintes ou sculptées qui donnent l'illusion de la réalité. Intrigué, le spectateur se demande, face à une peinture s'il ne s'agit pas d'une photographie, face à une sculpture s'il ne s'agit pas d'une personne réelle. Ce trouble invite à regarder autrement le monde, à voir l'invisible, comme le préconise Lou à la fin de son exposé.

● UN MIROIR CRITIQUE

Son œuvre, miroir critique de « l'american way of life », à travers une représentation hyperréaliste de scènes de la vie quotidienne, exprime ses préoccupations sociales.

Duane Hanson s'intéresse à tous les sujets qui dérangent : le racisme, la pauvreté, la guerre du Vietnam, les femmes battues et les sans domicile fixe.

En transportant des scènes de la vie quotidienne banales ou provocantes au musée, il les immortalise pour provoquer une prise de conscience.

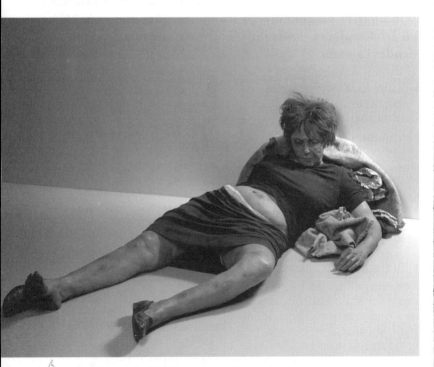

Duane Hanson, Derelict Woman, This is America, *1973, musée central d'Utrecht, Pays-Bas.*

Histoire des arts

Observe les deux sculptures situées en troisième de couverture et p. 182 pour répondre aux questions suivantes.

1. Présenter et situer
a. De quel type d'œuvre s'agit-il ?
b. Quels matériaux et quelles techniques emploie l'artiste ?

2. Observer
a. Où se trouve chaque sculpture ?
b. Qui est représenté ? Pourquoi ces personnages ont-ils été choisis ?
c. Quels sont les costumes ?

3. Analyser
a. Quelle pose est choisie dans *Derelict Woman* ?
b. Quelle pose est choisie dans *Supermarket Woman* ?
c. Ces poses correspondent-elles aux conventions habituelles
de la sculpture ?

4. Interpréter
a. Quel effet produit chacune des deux sculptures ?
b. Que dénonce *Derelict Woman* (appuie-toi sur le rapport titre/œuvre) ?
c. Que dénonce *Supermarket Woman* ?

Pose

La pose est l'attitude que prend le modèle avant d'être peint ou sculpté. En général, la pose est peu « naturelle » (par exemple, en pose debout le modèle adopte un déhanché pour donner du mouvement). Mais Hanson rompt avec ces conventions et adopte des poses naturelles.

Lexique

Argumentation	Fait de défendre une idée à l'aide d'arguments et d'exemples. C'est ce que fait Lou pour convaincre ses parents d'accueillir No.
Champ lexical	Ensemble des termes qui se rapportent à une même notion dans un passage.
Conclusion	Ce qui termine un récit, un ouvrage.
Développement	Partie développée d'un raisonnement.
Dialogue	Échange parlé entre deux personnages.
Figures de style	Utilisation d'images ou de constructions particulières de phrase à des fins expressives. L'exagération, la métaphore et la comparaison, par exemple, sont des figures de style.
Hypothèse	Réponse provisoire à une question qui doit être validée avant d'arriver à la réponse définitive.
Implicite	Qui est sous-entendu, dit à demi-mot. Au début de *No et moi* le sentiment amoureux qu'éprouve Lou envers Lucas est exprimé de manière implicite.
In medias res	Se dit d'un début de récit qui projette tout de suite le lecteur au cœur de l'action, sans introduction, comme *No et moi*.
Incipit	Première phrase d'un roman.
Interview	Mot anglais qui désigne le fait d'interroger une personne sur elle-même ou un sujet qu'elle connaît bien.
Introduction	Ce qui commence un raisonnement.
Métaphore	Figure de rhétorique qui consiste à désigner une chose par une autre avec laquelle elle entretient un rapport d'analogie.
Monologue intérieur	Propos qu'un personnage tient en lui-même, pour exprimer sa pensée sans la formuler ouvertement.
Narrateur	Instance qui raconte le récit. Dans *No et moi*, Lou est le narrateur. Le narrateur peut être interne (comme ici, il est un personnage de l'histoire) ou externe (il n'est pas un personnage de l'histoire, comme dans l'extrait du *Bal*, p. 165).
Paroles rapportées	Paroles prononcées par un personnage qui sont retranscrites dans le récit sous forme de dialogue ou de discours indirect.

Point de vue du narrateur	Angle sous lequel le narrateur raconte une histoire. Le point de vue peut être externe : comme un témoin qui décrit ce qu'il voit ; interne : il indique ses pensées et ce qu'il voit (c'est le plus souvent le cas ici) ou omniscient : il sait tout et connaît même les pensées des personnages.
Présent de narration	Utilisation du présent de l'indicatif au lieu du passé simple pour raconter des actions passées, ce qui permet de les rendre plus présentes.
Récit réaliste	Récit de fiction présentant les événements et les situations rapportées comme vraisemblables.
Registre de langue	Type de langage employé par un personnage, il peut être soutenu, courant ou familier.
Retour en arrière	Procédé d'inversion ou le fait de raconter un épisode antérieur à l'action principale d'un récit (par exemple la mort de Thaïs dans *No et moi*). Au cinéma on parle de *flashback*.
Roman	Récit d'une certaine ampleur relatant des événements fictionnels de manière vraisemblable.
Roman d'apprentissage	Roman qui raconte les étapes de la formation d'un jeune homme ou d'une jeune femme.
Roman engagé	Roman qui prend parti dans les débats de son temps et qui tentent d'influencer les choix politiques des lecteurs.
SDF	Sans domicile fixe : appellation qui désigne les personnes sans logis.
Scène	Partie de récit qui raconte en détail et de manière développée une action importante.
Sommaire	Partie de roman qui présente une série d'actions sous forme de liste, sans les détailler.
Témoignage	Récit que fait une personne d'événements auxquels elle a assisté.
Temps verbal	Temps auquel est conjugué un verbe.

À lire et à voir

● **D'AUTRES OUVRAGES DE DELPHINE DE VIGAN**

Jours sans faim
sous le pseudonyme de Lou Delvig
© GRASSET, 2001

Le témoignage d'une jeune fille anorexique qui reprend goût à la vie.

Les Jolis Garçons et *Un soir de décembre*
© JEAN-CLAUDE LATTÈS, 2005

Les Heures souterraines
© JEAN-CLAUDE LATTÈS, 2009

La plongée aux enfers d'une jeune femme harcelée moralement par son supérieur hiérarchique.

Rien ne s'oppose à la nuit
© Jean-Claude Lattès, 2011

Une fresque familiale autobiographique, bâtie autour de la mère de l'auteur.

● **DES RÉCITS SUR LES SDF ET LES MISÉREUX**

Un an, Jean Echenoz
© MINUIT, 1997

Le récit de la déchéance progressive d'une jeune fille en fuite qui se retrouve à la rue.

Lazarillo de Tormès, anonyme (XVIᵉ siècle)
© GF-FLAMMARION, TRADUCTION DE BERNARD SESÉ, 1994

Le récit à la première personne de la vie d'un gueux espagnol (un *picaro*) qui passe de maître en maître pour survivre, au XVIᵉ siècle.

Mendiants et orgueilleux, Albert Cossery
© JOËLLE LOSFELD, 1993
ADAPTATION EN BANDE DESSINÉE PAR GOLO © FUTUROPOLIS, 2009

Au milieu du XXᵉ siècle dans la capitale égyptienne, l'histoire des bas-fonds et de « la vitalité inépuisable du petit peuple du Caire ».

● DES RÉCITS D'ADOLESCENTS EN RÉVOLTE OU EN FORMATION

Le Bal, Irène Némirovsky
© HACHETTE, COLL. BIBLIOCOLLÈGE, 2005

Mes Départs, Panait Istrati
© HATIER, COLL. CLASSIQUES & CIE COLLÈGE, 2010

Le Corps de mon père, Michel Onfray
© HATIER, COLL. CLASSIQUES & CIE COLLÈGE, 2010.

Le Grand Meaulnes, Alain Fournier
© HATIER, COLL. CLASSIQUES & CIE COLLÈGE, 2012.

● DES FILMS SUR LES NÉCESSITEUX

Boudu sauvé des eaux
Film de Jean Renoir (1932)

Sans toit ni loi
Film d'Agnès Varda (1985)

Hiver 54, l'abbé Pierre
Film de Denis Amar (1989)

Une époque formidable
Film de Gérard Jugnot (1991)

La Crise
Film de Colline Serreau (1992)

No et moi
Film de Zabou Breitman (2009)

Table des illustrations

Suivi éditorial : Brigitte Brisse
Principe de maquette : Marie-Astrid Bailly-Maître & Sterenn Heudiard
Mise en pages : Facompo
Iconographie : Hatier Illustration

Achevé d'imprimer par Grafica Veneta à Trebaseleghe - Italie
Dépôt légal : 96662-0/08 - Septembre 2019